LES CROIX DE PAILLE

PHILIPPE BOUIN

LES CROIX DE PAILLE

Récit des fantastiques enquêtes de Dieudonné Danglet
commissaire secret de monsieur Nicolas de La Reynie
Lieutenant de police de Paris de par la grâce du roi

VIVIANE HAMY

© Éditions Viviane Hamy, mars 2000
Conception graphique, Pierre Dusser
© Photo de couverture, Benjamin Charavner
ISBN 2-87858-122-9
ISSN 1251-6961

Pour Garance
Pour Maxence
Ma série de bonheurs

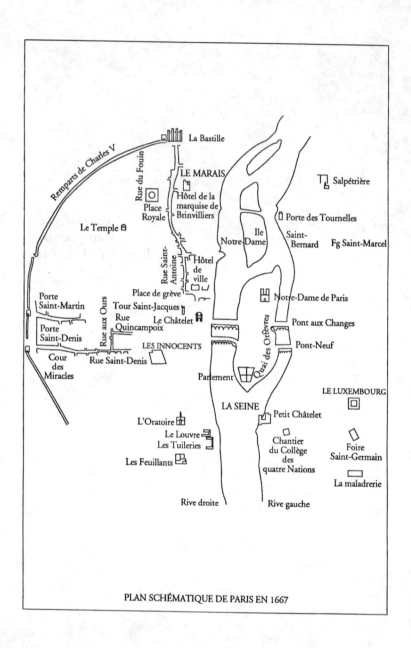

PLAN SCHÉMATIQUE DE PARIS EN 1667

I

Des personnages et de l'époque du récit

En ce lundi matin du 18 avril 1667, le soleil qui rayonnait d'un bel éclat sur Paris et sa région n'illustrait-il pas, plus que jamais, le symbole de la royauté ? Sa lumière d'acier, d'un métallique inhabituel, ne portait-elle pas un signe ? Des esprits ésotériques affirmeront qu'une diseuse de bonne aventure aurait pu prédire qu'elle éclairait les acteurs d'une intrigue étonnante dont les premières pages s'écriraient, ce jour-là, dans l'histoire secrète de la France.

Voyons-les de près...

Au Château Vieux de Saint-Germain-en-Laye, le roi quittait une chambre du rez-de-chaussée, celle de mademoiselle de La Vallière, de nouveau enceinte de ses œuvres. D'un pas martial, il s'en allait faire ses dévotions dans la Sainte-Chapelle attenante où il demanderait pardon à Dieu pour son infidélité. Sous le regard sévère de son ancêtre Saint Louis, que de pieux observateurs persistaient à reconnaître dans une sculpture de tête en ronde bosse, il donnerait aux courtisans, extasiés, l'exemple d'un merveilleux repentir.

À l'étage, abandonnée aux soins des dames de sa suite, Marie-Thérèse, sa terne épouse, s'exerçait à son art favori, le silence. Songeait-elle à son mari volage ? Souffrait-elle plus de ses frasques que de cette guerre de « Dévolution » qu'il préparait contre sa famille pour une question de dot jamais

9

versée… fallacieux prétexte pour élargir le carré de son pré ? Impossible de le deviner derrière ses traits de marbre. Sa conduite hautaine offrait aux méchantes langues l'occasion de susurrer que l'ancienne infante d'Espagne avait oublié d'apprendre à penser et qu'à la conversation elle préférait une méprisante éructation. N'aimait-elle pas, en effet, roter au visage des ambassadeurs ? Mais pour l'heure, elle éternuait. Les parfums du printemps affectaient ses royales narines, et ses suivantes espagnoles, celles que l'on n'avait pas renvoyées à Madrid, s'épuisaient à lui fournir force mouchoirs.

Dans le même instant, à deux pas de là, comme tous les lundis, monsieur Colbert préparait ses dossiers pour le conseil des dépêches. Éternel malade, des maux d'estomac chagrinaient son humeur peu sociable que ravivait une mauvaise toux. Il trouva toutefois un sujet de réjouissance : Sa Majesté, dans la journée, allait enfin signer l'ordonnance sur la réforme de la justice, acte de naissance du droit français unique. La bouillie des codes de procédure régionaux ne servirait même plus aux cochons ; désormais, on les saignerait tous en toute équité, de Toulon à Landerneau.

À la même heure, aux quatre coins de Paris, des personnages capitaux de cette histoire s'apprêtaient à entrer en scène.

Au premier plan de ceux-ci, il faut citer la Mort, mais la constance de son rôle la dispensait de tout préparatif – sans révéler la suite, elle avait même de l'avance.

Monsieur de Lamoignon, premier président du Parlement, achevait ses prières, agenouillé sur le prie-Dieu de son cabinet privé. Homme de loi, il implorait le Seigneur de lui donner les moyens de pendre les scélérats dont le nombre augmentait plus vite que celui des gibets. La main-d'œuvre ne suivait plus. Janséniste, il sollicitait son céleste appui dans son combat contre les ennemis de la foi, au rang desquels Molière, écrivaillon sans talent qu'il avait juré de soumettre.

D'un pas ferme et décidé, monsieur de La Reynie, lieutenant de la police de Paris, se rendait au Grand Châtelet pour mettre de l'ordre dans ses services. Il les dirigeait depuis trois semaines, il ignorait qu'il les conduirait pendant trente ans.

À la cour des Miracles, le mystérieux Grand Coësre, chef suprême de la gueuserie, regardait ses troupes de sans-aveu envahir les rues. Entre lui et La Reynie d'étranges rapports allaient s'établir. Le point d'orgue de leur relation préserverait son énigmatique conclusion pour les siècles des siècles.

Toujours en éruption, le cerveau du duc de Chevreuse – Albert de Luynes pour les intimes –, depuis peu gendre de monsieur Colbert, échafaudait des plans aussi biscornus qu'ambitieux. Il brûlait de servir, mais tant qu'à faire aux plus hauts postes de l'armée et de la diplomatie ; il était né dans une galaxie difficile à atteindre pour les petits pieds de la modestie.

L'avenir, comptable facétieux de nos actes passés, exaucerait tous ses vœux, mais à sa façon.

Un homme aux bottes rouges s'humectait le visage pour toute toilette et ceignait un baudrier porteur d'une épée au passé taché de sang. Il caressait le dessein de refaire le monde, oublieux que le Tout-Puissant en personne avait échoué dans cette entreprise. Mais que pouvait-on attendre d'un homme dont le cœur battait pour rien ni personne, seulement par habitude ? Certes pas une once de raison.

Comme tous les lundis, madame de Vigier, épouse du procureur, s'apprêtait à monter dans son carrosse qui devait l'amener du Marais à Saint-Denis.

Et à Saint-Denis, précisément, dans une ferme retirée, un jeune gaillard, le torse nu malgré la fraîcheur, s'employait à enfourcher d'énormes ballots de foin. Avec toute la vigueur de son âge, il les balança du haut du grenier, les aligna dans la grange et, à une cadence ininterrompue, acheva son travail dans la matinée. Il enleva les brindilles qui traînaient, but une longue rasade d'eau au seau du puits, renfila sa chemise « à la Candale », seul reste des folies dépensières qu'il avait faites, quelques mois plus tôt, à son arrivée à Paris. Il ramassa sa besace, se dirigea vers le logis du fermier :

– Maître Dunoyer ! J'ai fini !

Le paysan apparut dans le pourtour de la porte de guingois, obèse, la figure boursouflée, les avant-bras énormes liés dans la graisse à des mains difformes posées sur des hanches flasques :

– Ah ? Tout bien comme il faut ?

– Rangé au carré et balayé. Vous pouvez me payer, je m'en vais.

– Attends, je veux vérifier d'abord.

L'énorme bonhomme se déplaça avec peine jusqu'à la grange. Un court instant, ses yeux se posèrent sur la fragile échelle qui menait au grenier, mais la prudence le détourna du périlleux projet d'aller inspecter l'étage. Il se contenta d'examiner la cour avant de rendre son verdict :

– Bien, mon garçon, voilà tes sous.

Il fouilla dans son surtout, en sortit trois sols. Le jeune homme attendit.

– Ben quoi ? demanda le fermier, prends et va-t'en ton chemin.

– Il y a erreur, maître Dunoyer, nous avions convenu de six sols.

L'obèse ricana :

– Ouais ! Mais on avait dit pour une journée ; or, à ce que je vois, ton travail n'a pris qu'une matinée. Je divise donc par deux.

Avec calme, le garçon lui répliqua d'une voix ferme :

12

– Un marché est un marché. Que j'aie usé du muscle pour aller plus vite ne vous regarde pas ; aussi, je vous conseille de me donner le solde.

– Quoi ! Tu me menaces, chez moi, dans ma ferme ? Tu vas voir un peu comment je traite les impudents de ton espèce !

Le fermier empoigna une longue fourche pour la pointer sur le jeune homme qui recula par réflexe.

– Fous le camp, maraud, ou je t'embroche !

– Allez-y, mon joli maître, faites donc.

– Tu veux que j'essaye ?

– Ça ne coûte rien. Mais je parie que privé de force et d'industrie, l'habileté vous manquerait pour piquer une vache dans un couloir.

Rouge de colère, Dunoyer fonça en hurlant sur le railleur. D'un geste précis, le jeune homme l'esquiva en saisissant dans le même temps la hampe de la fourche ; cela fait aussi vite que l'éclair, d'un savant mouvement du pied doublé d'une rotation des épaules, il le déséquilibra. Le gros bonhomme lâcha l'outil en criant de stupeur et, curiosité dans l'étude scientifique du plus lourd que l'air, s'envola comme un pinson pour retomber sur le dos dans un méchant bruit mol.

– Alors, mes six sols ?

À terre, humilié, perclus de douleurs, le fermier ne désarma pas :

– Crève ! T'auras rien !

– J'en doute. Allez, debout !

Les dents de la fourche avaient changé de côté. Dunoyer se releva, le souffle court :

– Je t'en donnerai pas davantage, j'ai plus rien sur moi.

– Ça, je le sais, sinon j'aurais entendu les pièces tinter dans votre poche. Nous allons trouver le complément dans votre somptueux logis.

13

– Tu chercheras toi-même, compte pas sur moi pour t'aider.

D'un geste sec, le jeune homme lui fit signe d'avancer, ce que Dunoyer fit de mauvaise grâce en maugréant tout son soûl. Ils pénétrèrent dans une pièce repoussante de crasse où flottait une puante odeur de tripes réchauffées. Les murs chaulés – la dernière fois, pour le moins, sous Henri IV – étaient recouverts d'images pieuses jaunies avec l'âge. Le jeune homme les observa avec intérêt.

– Y a pas de sous ici, railla le fermier, tu peux tout retourner la maison.

– Je n'aurai nul besoin de la mettre à sac… Juste une question, maître Dunoyer : vous élevez bien des bœufs et des moutons ?

– Ouais, et après ?

– Pas de culture ?

– Que pour mes bêtes, ça rapporte pas, la terre… L'élevage non plus, d'ailleurs – je te le répète, j'ai pas d'argent, pas de richesse.

Le garçon lui fit une révérence en souriant :

– Je vous remercie de m'avoir dit où vous cachiez votre argent, mon bon maître.

– Hein ? Comment ça ? coassa l'autre en bavant d'inquiétude.

Le jeune homme se dirigea d'un pas certain vers le portrait de saint Blaise. Il fixa le fermier dont les yeux de crapaud sortirent tout à coup de leurs orbites, puis il souleva l'image avec délicatesse. Derrière elle se trouvait un morceau de pierre disjoint, enfoncé dans le mur pour boucher le trou que son absence aurait formé. Il l'enleva, découvrit une petite fortune en pièces de toutes valeurs.

– Voleur ! Voleur ! Voleur ! hurla le paysan, saisi tout à coup de tremblements d'une qualité proche de ceux de la danse de Saint-Guy.

14

– Erreur, maître Dunoyer, je ne vous vole pas, je prends juste les trois sols qui me manquent.

Il compta ostensiblement les pièces :

– Une, deux, trois. Nous sommes quittes.

Le gros homme, malgré sa fureur, ne put s'empêcher de lui demander, ébahi :

– Comment t'as su que c'était là ma cachette ?

– Cartésien, monsieur le prudent : de tous les saints qui couvrent vos murs, je n'ai remarqué qu'un seul protecteur de la paysannerie, saint Blaise, patron des éleveurs. Un dévot de votre poids ne pouvait s'en remettre qu'à lui pour veiller sur sa fortune.

– T'es le diable !

– En tout cas, pas un ange… Serviteur ! j'ai été ravi de vous connaître.

Le jeune homme, après un dernier salut, s'engagea vers la sortie, laissant le fermier à sa colère :

– Je te ferai rechercher ! Tu finiras aux galères !

Ces menaces tombèrent derrière ses chausses ; il savait que Dunoyer se tairait, peu fier d'avoir été rossé chez lui dans des conditions déshonorantes. Et puis, surtout, son avarice lui interdisait de faire savoir qu'il cachait de l'argent chez lui.

Midi sonna, le garçon avait faim. Il hâta le pas vers Paris qu'il apercevait au-delà de la campagne et des terrains de chasse de monsieur de Louvois. À la ville, il trouverait de quoi calmer son appétit, mais Dieu que le clocher de Notre-Dame lui paraissait loin !

Il faut croire que le manque de nourriture lui avait bouché les oreilles puisqu'il n'entendit pas le roulement d'un carrosse lancé à grande allure derrière lui. C'est à la dernière seconde qu'il perçut le bruit des sabots de l'équipage. Il se retourna soudain, vit le cocher tirer comme un forcené sur les rênes pour tenter de l'éviter, prit le parti de trouver son salut en se jetant dans un fossé.

De sa chute, il sortit sans fracture, toutefois contus et écorché en maints endroits du corps. Il voulut se remettre debout, mais la tête lui tourna, sa vue se brouilla, c'est à travers un nuage qu'il distingua une forme féminine.

– Mon pauvre monsieur, mais qu'avons-nous fait là ? Les chevaux ont eu peur de je ne sais quoi. Ah ! mon Dieu, mon Dieu ! Allez-vous bien ? Usez-vous de tous vos os ?

– Je pense ne rien avoir de cassé, mais les sens me tournent.

À la vérité, un jeûne prolongé comptait pour beaucoup dans son malaise.

– Courage, nous allons vous sortir de ce trou… Nicolas, descendez aider ce malheureux, faites vite, bon sang !

Le cocher, dont le jeune homme, dans un brouillard épais, ne remarqua que le contour flou, sauta jusqu'à lui, le prit sous les épaules, le hissa sur le chemin.

– Il pèse son poids, le gaillard !

La femme lui passa un mouchoir sur le front, affolée :

– C'est notre faute, nous vous donnerons réparation… Mais avant tout, il convient de vous soigner. Je vous emmène chez moi.

Avec lenteur, encore meurtri, le blessé demanda :

– Et à qui dois-je mes souffrances et le bonheur de ces attentions, madame ?

– Mon nom est Madeleine de Vigier, épouse du procureur François de Vigier. Et vous, monsieur, qui êtes-vous ?

– Danglet, madame, Dieudonné Danglet, pour vous servir.

C'est ainsi que dans un fossé de campagne, dans l'herbe folle, sous le morne regard des bœufs, débuta une affaire dont les conséquences politiques dureraient près d'un demi-siècle. L'Histoire ne retiendra pas ce détail.

Avant de poursuivre ce récit, plaise à vous, cher lecteur du futur, de prendre connaissance de cette nécessaire introduction au récit des fantastiques enquêtes du sieur Dieudonné Danglet − et surtout pour celle dite « des croix de paille » −, commissaire secret de monsieur Nicolas de La Reynie, premier lieutenant de police de Paris, par la grâce du roi [1].

Mon invitation peut vous effrayer − je suis conscient qu'elle renferme l'avertissement que les lignes à venir risquent d'être d'un mortel ennui. Encore du verbiage en perspective, direz-vous. Eh bien non ! Mon intention est de vous faire apprécier le contexte, tant moral que politique, dans lequel opéra ce personnage hors du commun. Et puisque la postérité lui est refusée, pour des raisons que d'aucuns nomment « d'État » dès lors qu'il s'agit de donner une excuse légale aux crimes de nos dirigeants, il me semble indispensable de conter son passé, d'autant plus que pour préserver le sceau du secret, « on » a eu soin d'effacer les preuves de son passage sur terre.

Au crépuscule de ma vie, moi, père Grégoire, Oratorien dans ma soixante-quinzième année, en ce jour de Pâques 1716, j'ai décidé de prendre ma plume pour rompre le silence, en hagiographe déclaré de cet homme brillant dont, il est vrai, j'ai admiré l'intelligence et le courage dans nombre d'affaires graves qu'il résolut et dont je fus le témoin.

Chacun sait − ou si vous n'êtes pas chacun, apprenez-le −, que l'Oratoire de France a pour ligne de conduite de répondre aux besoins du siècle. Dans nos écoles, nous avons innové en enseignant les sciences plutôt que la mythologie

1. Ce n'est qu'en 1674 qu'il deviendra définitivement lieutenant général.

ou encore en donnant des cours de ce que l'on peut qualifier de « géopolitique ». Connaître les changements de frontières et les alliances à géométrie variable qu'entraînent les traités signés par la France nous semble plus utile que de tout savoir sur les frontières de l'Olympe.

Nos élèves sortent de nos classes nantis d'un bagage pratique, conscients des enjeux de leur époque, capables d'apprécier les travaux de nos savants. Dieudonné fut de ceux-là. L'éclairage sur sa formation vous permettra d'apprécier l'atypisme de son raisonnement par rapport – Dieu me pardonne ce jugement – à celui de la majorité de ses culs-terreux de contemporains.

Vous comprenez à présent que notre tradition de « parler vrai » m'interdit de taire au public les actions de mon ami Danglet. Ce serait un acte inique autant qu'un camouflet à la vérité que je me dois de révéler sur certaines affaires du règne de Louis XIV – je ne puis me résoudre au mensonge par omission.

Si la mort est une fatalité, la donner fut une spécialité de notre époque. C'est dans un vaste champ de luttes religieuses, de guerres, de compromissions, de cabales, de meurtres et d'empoisonnements que monsieur de La Reynie eut à agir pendant trente ans, de 1667 à 1697. Il dut tout inventer, tout créer, règles et méthodes. Avant lui, la police était inexistante, mal organisée et, pour maints de ses membres, prévaricatrice ! Autant dire une institution de parasites reconnue d'inutilité publique.

De par la volonté du roi, il fut nommé lieutenant de police de Paris… Mais avec des restrictions géographiques notables que sa rencontre avec Dieudonné Danglet lui permit secrètement de contourner, ce que personne ne sait jusqu'ici : c'est le fruit de leur collaboration contre le crime que je vais vous narrer.

Si nous connaissons le merveilleux parcours de monsieur de La Reynie, d'où venait Dieudonné ? À la vérité, il nous avait été confié vingt ans plus tôt. Abandonné ? Pas tout à fait : on trouva une forte somme dans ses langes de bébé pour le paiement de ses études dans nos écoles, de même qu'un médaillon qui lui permettrait peut-être un jour de retrouver les siens. Un mot accompagnait ce viatique :

« Il s'appelle Dieudonné, il est né le 9 février, il est baptisé. Faites-en un honnête homme. Nous surveillerons de loin son éducation – l'argent ne manquera jamais à ses soins et à ses études. »

À Dieudonné, nous ajoutâmes Danglet pour l'avoir découvert dans un angle du porche de l'église de Vendôme. Les Oratoriens ont du cœur, mais peu d'imagination – un autre garçonnet laissé dans l'arrondi d'une chapelle rayonnante fut ainsi appelé Rondelet... Notre ami grandit donc parmi nous, à l'école oratorienne de Vendôme où, sous la direction du père Lecointe, il manifesta des dons remarquables pour les sciences, surprenant ses maîtres par la pertinence de ses observations et la justesse de ses déductions. Il fut rude aussi dans les exercices du corps ; notre cursus inclut l'art de l'escrime, il y excella. Ses humanités achevées, ce fut la rupture, brutale, mais toutefois compréhensible. Dieudonné avait dix-huit ans ; du monde, il ne connaissait que les toits de notre petite ville, espace par trop étroit pour un esprit de sa dimension. L'offre qui lui fut faite de consacrer sa vie à Dieu en se joignant à notre ordre eut pour effet de l'effrayer. Une nuit, il s'enfuit à travers champs pour gagner Paris, mais, hélas, après avoir subtilisé cent livres dans notre caisse. En toute franchise, cet argent lui appartenait, et même plus, il le savait, mais le procédé nous chagrina.

Deux ans passèrent avant que nous ayons de ses nouvelles. J'avais entre-temps été nommé à Paris près du père

Senault, général de l'Oratoire. Nous eûmes la surprise, un après-midi d'avril 1667, de voir arriver en nos murs le lieutenant de police, monsieur de La Reynie en personne. Notre visiteur avait rencontré Dieudonné dans des circonstances étranges. La perspicacité du jeune homme dans l'affaire qu'il s'efforçait de démêler l'avait frappé. Il désirait employer ses talents, mais avant de se l'attacher, monsieur de La Reynie souhaitait connaître notre avis sur son compte. Oubliant le passé, je fis son éloge, ce qui conforta notre visiteur dans sa décision. Néanmoins le père Senault émit une condition qui servit les intérêts du lieutenant. Dieudonné s'était enfui comme un voleur, et même s'il avait emporté un bien qui lui était propre, le procédé condamnable méritait sa peine. C'est ainsi qu'il fut convenu de proposer un contrat moral au sieur Danglet : tant qu'il servirait honnêtement monsieur de La Reynie, l'Oratoire tairait sa plainte. On lui donnait ainsi une chance de repartir du bon pied, mais sous ma constante surveillance. Ainsi fut dit, ainsi fut fait, dans un secret bien gardé.

Voilà donc comment Dieudonné Danglet entra par la petite porte de la grande histoire de la criminalité, de l'espionnage et des affaires d'État, et comment je devins son confident et le témoin des dizaines de mystères qu'il résolut, de l'affaire « des croix de paille » à « la guerre des libelles » en passant par celle de « la peste blonde », sans oublier la plus effroyable de toutes, l'affaire des Poisons ! Toutes méritent d'être connues, je les raconterai.

Mais avant de conclure, il me paraît utile de fournir au lecteur du futur une indication primordiale : tout ce qui s'est fait sous le règne de feu le Roi-Soleil a été religieux ! Impossible pour vous de nous comprendre si cet élément vous échappe. Seul un Oratorien, comme mon frère Malebranche, disciple de l'école de spiritualité la plus élevée de France, peut oser s'exprimer librement sur ces désordres...

En effet, le pouvoir de Sa Majesté s'appuyait sur son droit divin, être l'oint du Seigneur justifiait ses actes politiques. Le monarque en était convaincu au point de diriger l'Église de France à sa guise, dans un quasi-mépris pour Rome : « *Cujus regio, ejus regio* », le gallicanisme faisait office de religion d'État.

En opposition à la volonté royale, des agitateurs de la pensée chrétienne complotaient dans l'ombre ou à ciel ouvert pour amener le roi à partager la pertinence de leur philosophie.

Dame ! réussir ce tour de force ouvrait en grand les portes des ministères ! Le jeu valait bien qu'on y brulât quelques martyrs.

Et s'y employaient des illuminés de tout poil dont je tairai les folies pour ne retenir que l'hydre catholique.

Jésuites en tête, les ultramontains défendaient la cause du pape. Chez les dévots, brocardés par Molière dans son *Tartuffe*, ils rencontraient des alliés sinistres mais puissants. Enfin, les Jansénistes de Port-Royal, soutenus par Pascal, animaient un mouvement de pensée qui faillit, un temps, ébranler les bases de notre société.

Face à eux, moult protestants de la RPR – Religion Prétendue Réformée – véhiculaient des idées subversives d'égalité, comme si la France avait pour vocation de devenir une république ! Le peuple les détestait et accueillit l'abrogation de l'édit de Nantes dans une joie indescriptible qui me peine encore.

Louis le quatorzième ne pouvait admettre ces désordres. Son trône s'appuyait sur l'Église et les Évangiles ; les attaquer c'était mettre l'État en péril.

Voilà pourquoi La Reynie et Danglet eurent souvent à combattre des adversaires de toutes confessions qui justifiaient leurs exactions au nom d'un Dieu à leur façon qu'ils voulaient imposer.

Place maintenant à leurs exploits.

L'affaire « des croix de paille » fut la première de la liste et se déroula dans l'esprit d'un temps que je me devais de vous décrire...

Cela dit, je vous avertis que je n'écris rien de gratuit depuis le début de cette histoire, je vous livre tous les éléments de son énigme dans la chronologie où je les ai vécus. Devinerez-vous la vérité plus vite que je ne l'ai fait ?

II

La conférence de l'hôtel Séguier

Nicolas, le cocher de madame de Vigier, se fraya un passage dans les rues encombrées de Paris, autant par habileté que par la force de son verbe. Une profusion de jurons lui fut utile pour que les piétons dégageassent la route et compta pour moitié dans sa rapidité à atteindre la rue du Foin dans le Marais.

Depuis Saint-Denis, la bonne dame n'avait eu de cesse d'éponger le front de Dieudonné, de panser le sang de ses égratignures, de se lamenter sur sa faiblesse :

– Quel teint livide, livide ! répétait-elle à l'envi.

Le jeune homme se laissa bouchonner, peu inquiet de son état de santé, certain qu'une bonne cuisse de poulet accompagnée d'un pichet de bourgogne dissiperait son malaise. Un estomac longtemps privé de nourriture expliquait sa blancheur, et son esprit s'excitait davantage à la perspective d'un bon repas qu'aux minauderies prometteuses de son infirmière.

Le carrosse s'arrêta, les passagers en descendirent pour entrer dans la demeure dont la porte s'ouvrait de plain-pied sur la rue.

– Suivez-moi à la cuisine, l'invita madame de Vigier.

Elle avait prononcé le mot magique : cuisine ! Ce lieu fantastique où il trouverait des chapons, des jambons, des pâtés !

Et toutes ces bonnes choses furent au rendez-vous, avec abondance.

Dieudonné engouffra tout ce que son hôtesse lui servit, avec appétit, avec gourmandise. Peu à peu, son visage reprit des couleurs, sa formidable capacité de réflexion se remit en route. Étonné, il considéra l'affairement de la dame :

– Pardonnez mon indiscrétion, mais je ne vois aucun domestique pour vous servir. Ces bourriquets vous auraient-ils abandonnée ?

Elle lui caressa les joues :

– En effet, nous sommes seuls. Ce tête-à-tête vous déplaît-il ?

Sa manière jésuitique d'éluder la question ne lui échappa pas :

– Au contraire, madame ; je ne me soucie là que de votre sécurité.

Elle partit d'un grand rire :

– Soyez rassuré, mes gens vont revenir. Parfois, le lundi après-midi, nous leur accordons du congé… En attendant, je suis votre proie…

Sur ce, coupant court à cet échange, elle l'embrassa et prit la main du jeune homme pour la coller sur sa poitrine.

– J'ignore où vous avez appris le secret de ces soins, madame, mais je vous confesse qu'ils me font le plus grand bien.

– Poursuivons le traitement à l'étage.

– Pourquoi à l'étage ?

– J'y ai ma chambre.

Dieudonné l'attira contre lui :

– Conduisez-moi à elle, il me tarde de découvrir le complément de cette merveilleuse médication.

Madame de Vigier l'entraîna à travers les nombreuses pièces de la demeure. Ils grimpèrent l'escalier, parcoururent un long couloir, s'arrêtèrent devant une large porte tarabiscotée d'un gothique douteux.

– Ma chambre, murmura-t-elle, et nul importun pour nous déranger. Tout ici est tranquille, même au-dehors, voyez vous-même par la fenêtre.

Dieudonné constata en effet que le calme régnait dans la rue du Foin. Toutefois, son regard surprit le curieux manège d'un homme immense, barbu, qui, dans le recoin d'un mur, semblait ne pas quitter la maison des yeux.

Son instinct le titilla :

– Cette solitude est-elle bien prudente, madame, avec tous ces meurtriers en liberté dans Paris ?

Elle sourit :

– Que craignons-nous ? N'avons-nous pas la chance d'être protégés par un nouveau lieutenant de police dont on dit le plus grand bien ?

– Monsieur de La Reynie ?

– Précisément. On ne tarit pas d'éloges à son propos, même s'il n'a encore pendu personne.

– Souhaitons que vous ayez raison.

En fait, monsieur de La Reynie venait de prendre ses fonctions dans un labyrinthe juridique, une mixture procédurière dont seuls les Français ont le secret.

Remontons le temps de deux mois pour assister à l'incroyable marchandage qui précéda sa nomination. On n'ose croire que cet imbroglio fût réel...

Il pleuvait sur Paris en ce jeudi 10 février 1667. La rue du Boulois, déjà étroite, rendue glissante, était impraticable. Les carrosses se frayaient un passage sous les invectives des cochers. Tombereaux et vinaigrettes – chaises à roulettes, utiles aux impotents – amplifiaient l'encombrement ; leurs conducteurs, tête baissée à cause de la pluie, divaguaient comme des âmes en peine sans voir où ils allaient. Dans ce capharnaüm, la voix d'un officier retentit :

– Place ! Place à monsieur Colbert, ministre du roi !

Du coup, un courant de discipline poussa piétons et véhicules contre les murs. Le carrosse du haut personnage put alors s'engager vers la rue de Grenelle-Saint-Honoré et s'engouffrer dans les jardins de l'hôtel du chancelier Séguier. Des laquais s'empressèrent, qui pour lui ouvrir la porte, qui pour lui apporter un parapluie, qui pour lui déplier le marchepied. Les laquais sont des rustres dont on exige des manières princières, c'est pourquoi l'un d'eux eut l'audace de lui offrir le bras pour l'aider à descendre les marches, assistance qu'il accepta sans considération de rang : Colbert sortait d'un de ces affreux accès de goutte qui lui pourrissaient la vie. Une fois le pied sur les pavés, il se hâta sans jeter le moindre regard sur les parterres somptueux, les jets d'eau ou les grottes artificielles de Simon Voult. Il grimpa aussi vite qu'il le put vers le hall d'entrée, fonça à l'intérieur, ébroua son grand corps comme un chien mouillé. Le chancelier Séguier, vieillard blanchi sous le harnais d'un demi-siècle de combats politiques, l'accueillit en personne :

– Monsieur le ministre, bonjour. J'eusse aimé vous recevoir sous les rayons d'un soleil éclatant pour notre dernière réunion.

Colbert fronça les sourcils qu'il avait abondants, fort épais ; il releva la tête pour présenter un visage fermé, aux yeux aussi noirs que durs, au nez busqué tombant sur une fine moustache. Les lèvres détonnaient, dans ce portrait, par leur sensualité et la petite mouche qui les ornait au-dessus d'un menton creusé d'une fossette. Elles s'ouvrirent pour faire entendre une voix grave au ton aussi brusque que cassant :

– Au moins nos paysans ne se plaindront-ils pas de la sécheresse, il y a une consolation en tout. Ces messieurs sont arrivés ?

– Ils sont à l'étage où ils vous attendent.

– Parfait ! Allons-y, ne perdons pas de temps, je vous suis.

Le garde des Sceaux, deuxième personnage de l'État, soucieux de l'étiquette, précéda légèrement Colbert dans le célèbre escalier de l'hôtel dont on disait qu'il était « suspendu en l'air ». Il tenta de rompre la glace en parlant d'autre chose que de la pluie et du beau temps, sujet, il venait d'en essuyer les plâtres, voué à l'échec :

– Alors, monsieur le ministre, le mariage prochain de mademoiselle votre fille s'annonce-t-il bien ?

Colbert s'arrêta un instant pour bomber le torse ; l'union de Jeanne-Marie-Thérèse, sa fille aînée, avec Charles-Honoré d'Albert de Luynes, duc de Chevreuse, était un objet de fierté personnelle. Quand on aime on ne compte pas, et il avait dû mettre le prix afin de forcer l'amour de Charles-Honoré pour son héritière : trois cent quatre-vingt-quatre mille livres de dot, dont quinze mille en pierreries ! Mais l'alliance d'une roturière avec l'une des plus prestigieuses familles de France, aboutissement d'un rêve, valait bien cette dépense. Les futurs époux étaient charmants. La société louait la grâce des dix-sept ans de mademoiselle Colbert, à l'esprit aussi agréable que simple. Aussi pouvait-on se demander comment elle s'accommoderait de celui d'un mari plus cultivé qu'elle, dont, avec un peu d'audace, on qualifiait l'intelligence de machiavélique. Chevreuse, homme imprévisible, passait, par ailleurs, pour dévot.

– La cérémonie aura lieu dans dix jours. Je ne vous cache pas ma lâcheté, je laisse ma femme s'occuper de tout. À la voir s'inquiéter de cent détails, il me vient à penser que la conduite des affaires du roi est un exercice moins périlleux que l'organisation d'un mariage.

Séguier rit à ce mot, ce qui eut pour effet de dérider, pour une fois, l'ombrageux ministre. En souriant, il grimpa les dernières marches pour aboutir à la grande galerie aménagée en bibliothèque. Un huissier ouvrit une porte :

– Monsieur Colbert, ministre du roi !

Il entra dans une pièce au décor de style Louis XIII, aux meubles portant la patte d'un Jean Macé ou d'un Desjardins, d'ébène sculptée ou de mosaïques de bois de couleur. Autour d'une table immense aux pieds torsadés et entretoisés, un groupe de onze hommes étaient assis sur des chaises à arcade sans accotoirs, dites « à l'espagnole ». Ils se levèrent à sa venue, le saluèrent. Colbert leur répondit avec une économie de politesse ; sans s'arrêter, il se dirigea vers son siège, à l'extrémité de la grande table, enchaîna en tirant des papiers de son portefeuille :

– Messieurs, comme le dit le dicton : « il faut dix hommes pour faire une nation » ; le quorum est atteint, sachons bien gouverner le sujet qui nous réunit pour la dernière fois. Monsieur le chancelier et garde des Sceaux, je vous donne la parole.

Après les formules d'usage, Séguier annonça l'ordre du jour :

– Notre conseil, issu du Conseil des Parties, est assemblé, messieurs, pour conclure ses travaux sur la réformation de la police. Sa Majesté attend de nous que nous lui présentions au plus tôt un projet solide qui lui permettra d'ordonner la création immédiate de la lieutenance de police de Paris. Le présent conseil s'est au préalable réuni le premier octobre dernier et, depuis, chaque semaine, chacun a eu le loisir de faire valoir ses idées ; le dossier est complet, je vous propose de tirer la synthèse de ses pièces pour la soumettre au roi. Monsieur le maréchal de Villeroy, en vos qualités de chef du conseil des Finances et de militaire, je vous donne la parole pour ouvrir le débat.

Avec la lenteur qui s'imposait aux manières d'un homme de sa condition, le digne maréchal remercia par une inclinaison de son long visage. Il se redressa doucement sur son siège, réajusta sa croix d'or à huit pointes accrochée au cordon bleu de l'ordre du Saint-Esprit qui glissait de son épaule, remit d'un geste machinal sa perruque en place.

Cet ornement du crâne intriguait Colbert qui ne se résolvait pas à adopter cette mode. Comme le roi, il préférait ses cheveux naturels à ceux que le sieur Jean Quentin, le perruquier en vogue, confectionnait pour la haute société. Mais c'était un commerce comme un autre, rentable et, de ce fait, joliment imposable. C'est pourquoi le ministre avait récemment accordé le droit aux barbiers-barbants de Paris de s'ériger en maîtres d'une nouvelle corporation.

Villeroy fit résonner une voix ferme :

– Entendu que Sa Majesté s'est émue de la montée des crimes et désordres impunis dans sa bonne ville de Paris, elle a mandé avis à notre conseil, constitué pour la servir dans ce dessein, sur la réformation de sa police. Notre constat fait mention que Paris est désormais la première cité de la chrétienté. Elle compte plus de vingt mille immeubles avec une population estimée à six cent mille âmes. Ce nombre va croissant avec l'extension à l'est, à l'ouest et au sud de nouveaux quartiers. C'est devenu une Babylone doublée d'une tour de Babel incontrôlable. La montée de ce gigantisme fait naître des dangers pour ses habitants, qui ont pour nom les exactions des sans-aveu et l'insalubrité de ses rues ; la guerre est source de troubles, d'une déliquescence des mœurs, de l'errance d'étrangers dont on ne sait qui ils sont. Aujourd'hui, le conseil observe l'inefficacité du service d'ordre et en attribue la raison à la trouble répartition de ses charges. En effet, nul n'est capable à cette heure de définir qui des polices du Châtelet, de l'Hôtel de Ville, de l'Île ou du Parlement, est habilitée à traiter telle ou telle affaire ! Le manque d'effectifs du guet donne loisir aux vagabonds, aux déserteurs, aux truands de toute espèce de semer la terreur dès que la nuit descend. Songez que chaque matin, on ramasse vingt cadavres sur les pavés de la capitale !

Ce chiffre fit frémir la dentelle des manches des sieurs Talon, Pussort, Bignon et autres conseillers, dans de grands effets d'indignation.

– Dans les rues ce n'est que puanteur dont personne ne s'occupe. L'irrespect des lois du négoce n'a plus de bornes. Les libelles séditieux pullulent sans que quiconque ne saisisse ces écrits et leurs auteurs. Les commissaires du Châtelet ignorent tout de ce qui se passe dans leurs cantons d'attribution, puisqu'ils résident en d'autres places, coupés de la réalité de leur terrain...

Tout autour de la table, ce n'était que hochements de mentons à l'énoncé de ces impérities. Monsieur de Lamoignon, premier président du Parlement, pourtant égratigné au passage, ne cessait d'approuver, imité par les magistrats que son exemple forçait à faire poliment de même. Seul monsieur Gabriel-Nicolas de La Reynie, maître des requêtes, invité et assis en retrait de la table des débats, avait d'autres raisons d'acquiescer. Quant à Colbert, déjà fixé sur la conclusion, il promenait, en amateur avisé, son regard sur la collection de tableaux qui ornait les murs. Aux angelots de Le Sueur, il préférait de loin le portrait du chancelier Séguier que Le Brun avait représenté à cheval, entouré d'une cour prévenante de pages occupés à le protéger du soleil avec de larges parasols. Le Brun... L'homme savait servir la grandeur du roi ! Louis avait fort besoin d'artistes de cette dimension pour illuminer sa puissance, afin qu'à travers leur talent, son rayonnement personnel éblouisse le monde. Qu'ils soient portraitistes, architectes ou écrivains, leur art participait à sa politique...

Villeroy acheva son discours :

– Par ces motifs, notre conseil recommande à Sa Majesté d'ordonner la création d'une lieutenance de police de Paris qui aura pour mission de combattre la cagnardise, de rétablir l'ordre et la discipline dans les rues, de contrôler les marchands, de constater les délits, d'arrêter et de juger les coupables. Ce corps aura son siège au Châtelet, dépendra du roi sous les ordres directs de son dévoué et respectueux ministre, monsieur Colbert.

Un ange, comme on dit, passa. Non pas qu'il y ait eu désaccord sur le fond ou sur la forme de la fin de l'exposé du maréchal, mais parce qu'il comportait un hic de taille… Monsieur Colbert, membre du conseil d'en haut, contrôleur général des Finances, surintendant des bâtiments du roi et autres titres aux longueurs extrêmes, empiétait sur les plates-bandes de ses collègues : il n'était pas le ministre de Paris ! Mais au spectacle de son impassibilité, ces beaux messieurs pensèrent qu'il n'y avait pas usurpation de pouvoir, mais anticipation sur un déplacement de responsabilité. Les demi-dieux du système légaliste se turent, laissant aux titans de la monarchie le soin de régler leur conflit, et au roi celui de l'arbitrer.

Monsieur de Lamoignon, rigide comme toujours dans son attitude, et monocorde dans son discours, fit une remarque de poids :

– Loin de moi de m'opposer à cette hiérarchie. Toutefois, en droit, et rien qu'en droit, je ferai remarquer à cette assemblée qu'il lui est impossible de modifier l'administration de Paris et que son projet de lieutenance doit s'en accommoder, pour ne pas dire se contraindre à ses règles.

– Veuillez, je vous prie, préciser votre idée, s'inquiéta Colbert, l'esprit en alerte aussitôt que le président du Parlement émettait une objection – la Fronde n'avait-elle pas pris corps dans son institution dix-neuf ans plus tôt ?

– Monsieur le ministre, poursuivit Lamoignon, cette lieutenance ne pourra outrepasser le pouvoir juridictionnel du prévôt des marchands, seul habilité à faire régner l'ordre sur les quais, ports et berges de la Seine, de même que sur les remparts et boulevards présents ou à venir.

– Certes, monsieur le président, mais force est de constater que ledit prévôt manque d'effectifs, son homologue le prévôt de Paris également, et que personne ne songe à s'unir contre le crime. Quant aux autres polices !...

– Je parle du droit, monsieur le ministre, pas de la troupe. Le Parlement, dont j'ai l'honneur de conduire la destinée, ne cache pas la maigreur de son contingent de policiers pour assumer sa mission. Toutefois, la loi est la loi ; tout comme le Parlement doit continuer à juger certains types de délits commis dans cette ville, le lieutenant civil et son lieutenant criminel de la prévôté de Paris occupent des charges que nul ne peut leur enlever. Ils les ont payées ! Leur compétence, au tribunal du Châtelet, ne peut leur être ôtée à la faveur d'une signature sans répercussions importantes. Comment, dans ce cadre, installer celle du futur lieutenant de police ?

Voilà qui était dit en termes à peine voilés ! Lamoignon rappelait à Colbert la force des robins, toujours prêts à s'insurger dès qu'un de leurs privilèges risquait de disparaître. Malgré leurs différends, ils savaient se serrer les coudes à l'approche d'un danger ; l'intervention du président pour défendre ceux du Châtelet, autorité concurrente du Parlement, en était la preuve. Il lui fallait jouer habilement du droit pour les contrer :

– En ma qualité de ministre du roi, je ne peux ignorer les attributions de compétence de chacun. Sa Majesté moins que tout autre. Aussi est-il prévu que le lieutenant de police de Paris, nommé par le roi, aura à lui répondre sur la généralité de sa mission, mais, en parallèle, rendra compte au

Parlement et au Châtelet pour les affaires courantes. Sa qualité de commissaire et d'administrateur complétera celle de magistrat du lieutenant civil. Je pense, comme Sa Majesté, que chacun se trouvera satisfait de cette juste répartition.

Impossible pour l'un des membres du conseil de combattre cet avis ; Louis le grand autoritaire avait tout prévu, on ne pouvait que s'incliner.

Colbert n'était pas mécontent de son tour de passe-passe, digne des Jésuites dont il avait été l'élève. Mais cette satisfaction se trouvait contrariée par un doute ; l'homme qui serait désigné à ce poste aurait fort à faire dans cet imbroglio juridique ; il lui faudrait un caractère trempé pour résister aux pressions et chausse-trapes immanquables que sa nomination ferait surgir. Et comment, se demanda le ministre, accommoderait-il ses enquêtes aux interdits d'opérer dans des lieux protégés ? Interdits que Séguier se plaisait à rappeler :

– En outre, le lieutenant de police de Paris ne pourra pénétrer pour poursuivre les êtres malfaisants, quels qu'ils soient, dans les territoires dépendant du bailli de l'Archevêché, ou dans le chapitre Notre-Dame, pas plus que dans les abbayes de Saint-Germain-des-Prés, de Saint-Marcel, de Sainte-Geneviève, de Montmartre, et pas davantage dans les prieurés du Temple et de Saint-Jean-de-Latran.

Décidément, entre les répartitions des compétences juridiques et ces restrictions géographiques, les pouvoirs du lieutenant de police prenaient forme dans une série de compromis miton-mitaine.

Peu importait au ministre, il fallait que ce poste vît le jour, au plus vite. La guerre contre l'Espagne allait bientôt éclater ; la dot de la reine Marie-Thérèse, qui n'avait jamais été versée à la France, était l'enjeu du conflit, et ce dû s'appelait les Flandres ! Paris serait la plaque tournante de l'espionnage, d'intrigues, de complots que la police actuelle ne saurait combattre.

Colbert regarda monsieur de La Reynie, qu'il avait proposé au roi pour remplir cette mission. Homme intègre, solide, ce dernier avait derrière lui une carrière propre à mener la barque de la nouvelle administration. Son expérience de gestionnaire et de magistrat le mettait en avant pour ce poste. Encore jeune – il était né en 1625 à Limoges –, son calme et la douceur de son visage (Colbert lui trouvait des points de ressemblance avec Molière, avis très personnel) cachaient un caractère de fer, une volonté sans faille.

Le conseil acheva de délibérer. Les commis, dans un coin, s'activaient à noter tout ce qui se disait. Colbert se leva, aussitôt suivi de tous. Il s'approcha de La Reynie qu'il entraîna à part jusqu'à une fenêtre que la pluie martelait :

– Vous serez bientôt nommé par Sa Majesté, mon très cher ami, je lui ai conseillé de choisir un homme de simarre et d'épée. Ce que vous avez entendu ne vous rebute pas ? La tâche à accomplir sera rude, il est encore temps de vous prononcer.

– Le service du roi et son contentement, ainsi que le vôtre, monsieur le ministre, sauront me dédommager de mes peines. Je ne me fais pas d'illusions, les difficultés seront immenses, mais il faut que quelqu'un accomplisse ces réformes. Je regarde, depuis trop longtemps, la rage au cœur, le désordre et le laisser-aller envahir Paris, je ne peux retenir ma joie en sachant que je serai celui qui devra guérir ses maux. Vous pouvez compter sur ma détermination.

Ce discours plut à Colbert ; il n'en poursuivit pas moins :

– Cela ne vous sera pas facile d'agir près du lieutenant civil du Châtelet, il se sentira profondément atteint dans son amour-propre, prendra pour vexation personnelle votre nomination. Comptez-le dès lors au nombre de vos ennemis, d'autant qu'il vient tout juste de succéder à son père, décédé dans des conditions qui me laissent songeur.

– Je me suis préparé à ses attaques.

– Le connaissez-vous ?

– J'ai rencontré monsieur Antoine Dreux d'Aubray à l'enterrement de son père, l'an dernier, il m'a présenté sa sœur à qui j'ai également adressé mes sincères condoléances.

– Sa sœur ? Oui… Très jolie personne… Son nom d'épouse m'échappe… quel est-il, déjà ?

– Il s'agit de la marquise de Brinvilliers, monsieur le ministre ; vous avez raison, cette femme ressemble à un ange.

L'huissier fit irruption pour annoncer au maître de maison :

– Monsieur le chancelier, ces messieurs de l'Académie vous attendent.

– Ah ! Très bien, qu'ils avancent.

Pierre Séguier, duc de Villemor, protégeait l'Académie française dont il abritait les séances dans son hôtel. Ses membres trouvaient chez lui une des plus belles collections de manuscrits du monde. Charpentier entra, cassé en deux par l'âge et par son infinie reconnaissance envers monsieur Colbert : ne lui devait-il pas d'avoir eu la gloire de rédiger la publicité de la Compagnie française des Indes orientales, sans doute sa meilleure œuvre ? Derrière lui, suivit un homme à l'allure altière, propre à faire comprendre aux vivants que lui était immortel. Ce bel esprit n'était autre qu'Armand de Croislin, petit-fils du chancelier. Séguier avait fait élire son descendant à l'Académie alors qu'il n'avait que seize ans ! La protection du duc avait un prix, et cette drôle d'époque s'accommodait de l'arbitraire.

Colbert salua et partit à Saint-Germain porter son rapport au roi.

Le quinze du mois suivant, le roi créa officiellement la lieutenance de police de Paris ; il nomma, comme on s'y attendait, monsieur de La Reynie à sa tête.

J'ai bien dit : « nomma », véritable révolution, car pour la première fois, un administrateur de justice ne payait pas sa charge et liait sa carrière à une obligation de résultats contrôlés par une hiérarchie !

La Reynie prit ses fonctions au Châtelet où l'accueil fut glacial au point qu'il dut se fâcher pour qu'on lui attribuât une pièce décente où travailler !

III

Le meurtre de l'hôtel Vigier

Le printemps s'annonçait doux, en ce soir du lundi 18 avril où notre récit reprend son cours, un souffle tiède balayait les rues du Marais. Ce quartier offrait une singularité qui amusait les Parisiens, c'était à la fois la place chaude de la ville où les ribaudes — qu'on nommait « les demoiselles du Marais » — monnayaient leurs charmes et le lieu privilégié des magistrats pour y faire construire leurs demeures ! À croire que tout ce qui portait la robe faisait mieux affaire ici qu'ailleurs.

Le procureur Vigier, gagné par l'engouement de ses collègues, y avait acheté ce qu'avec orgueil il appelait son « hôtel », espèce de grosse bâtisse retapée pour lui donner un semblant de cachet. Il se situait près du « Heaume », table réputée.

Pour l'heure, dans une chambre du premier étage, son épouse, allongée dans le désordre d'un lit défait, tournait les pages d'un carnet de notes qu'elle achevait de lire à voix haute :

– « *C'est donc ainsi qu'après avoir quitté Vendôme pour échapper à la condition ecclésiastique, moi, Dieudonné Danglet, je me retrouvai à Paris pour m'établir dans une situation brillante. Mais, après avoir exercé vingt méchants métiers pour vivre, une fois mon pécule évanoui dans le*

37

plaisir des théâtres et des auberges, j'avoue que l'éclat de sa brillance tarde à se refléter dans mon horizon. Je crains qu'il ne me faille me résoudre un jour à m'engager dans l'armée pour y faire valoir mes talents... si la mort au combat daigne m'épargner pour atteindre ce but. »

Elle reposa les feuillets, regarda leur auteur, presque nu, couché à ses côtés. Dieudonné, dont nous n'avons pas encore examiné le physique — réparons ce coupable oubli —, était grand — cinq pieds, six pouces —, le corps réparti avec harmonie, musclé par les exercices. Le nez et le menton droits, les yeux bleus, la bouche fine, plutôt petite, ornaient un visage allongé. Une chevelure bouclée, châtain clair, l'enrobait jusque sur la nuque. Il avait la beauté de ses vingt Noëls.

— Alors, vilain garçon, n'avez-vous pas honte d'avoir ainsi volé ces pauvres Oratoriens de Vendôme ?

— Et vous, madame, n'éprouvez-vous aucun remords à cocufier votre mari ?

La femme lui jeta son carnet à la tête. Dans un rire, elle lui pinça les flancs en se collant à lui comme une sangsue affamée :

— Vous mériteriez que je vous dénonce, brigand.

— À qui ? À monsieur de Vigier ?

— Oh ! Votre esprit me déplaît, tout à coup. Laissez mon sinistre époux à ses tristes affaires. Il y a délibération à la cour des aides, il rentrera tard dans la nuit ; la justice est sa maîtresse, je passe bien après elle, et c'est tant mieux pour nous.

Dieudonné l'observa de près. Madeleine, la trentaine épanouie, était fine, de taille moyenne, charmante avec un visage de poupée au nez retroussé. La frange de ses cheveux bruns accentuait le vert émeraude de ses yeux découpés en amande.

— Et cet époux, si occupé, l'aimez-vous un tantet ?

Elle se redressa en réajustant sa chemise.

– Peut-on parler d'amour et d'argent ? Notre mariage fut un contrat de notaire arrangé par ma famille. Monsieur Vigier est un barbon gras, gros et chauve de vingt-cinq ans plus âgé que moi. Il s'est offert une jeune épouse avec sa charge de procureur, sans oublier un prétendu titre d'écuyer qui l'autorise à faire précéder son nom d'une particule – monsieur François « de » Vigier ! Dommage que sa fortune ne lui ait pas permis d'acheter des reins tout neufs, les siens sont usés et font de lui un amant à la semence pressée de jaillir. Ses étreintes durent moins de temps qu'il n'en faut à la récitation d'un *Pater*.

Dieudonné sourit en promenant un index sur le ventre de son amante :

– Je présume que depuis vos noces, vous avez pris le parti de comparer son ardeur à celle de beaucoup d'autres ?

– Ne soyez pas jaloux, je ne recherche nullement les aventures. Si un bel homme, au gré du hasard, se présente et me plaît, je l'autorise à me donner le bonheur que mon mariage ne m'a jamais procuré.

– À la faveur d'une rencontre imprévue, comme la nôtre aujourd'hui ?

– Parfaitement. Béni soit ce voyage que je fis à Saint-Denis, ce matin. Il m'a permis, au retour, de vous trouver, marchant le long de la route.

– Dites plutôt que vous avez manqué de me tuer en me renversant avec votre carrosse.

– Me serais-je arrêtée, sinon ? Vous aurais-je conduit jusque chez moi ?

– J'avoue que non ; et la douceur de votre intimité valait bien quelques égratignures.

Madame de Vigier se pressa à nouveau contre Dieudonné.

– Le chemin de Saint-Denis mériterait de figurer sur la Carte du Tendre de mademoiselle de Scudéry... Allez, mon doux, prouvez-moi à nouveau que vos blessures se cicatrisent.

Les fines mains de la dame glissèrent le long du torse de son amant. Il l'embrassa, laissa à la nature le soin de lui montrer le profit de sa médication. Leur jeu commençait à peine quand des pas résonnèrent sur le palier. On cogna à la porte de la chambre. Une voix d'homme appela :

– Madame ! Madame !

Le couple mit aussitôt fin à ses élans. Dieudonné chuchota :

– Qui est-ce ?

– Dupuy, notre maître d'hôtel, répondit-elle tout bas. N'ayez crainte, il m'est acquis, mon mari le traite rudement, il ne l'aime pas.

Elle se leva pour habiller, à la hâte, sa nudité d'un laisse-tout-faire.

– Que se passe-t-il, Dupuy, pourquoi me déranger ?

– Madame, un homme s'est introduit, en bas, dans le cabinet de monsieur de Vigier. Il s'y est enfermé. Pierre et Jean-Baptiste barrent la porte, prêts à le saisir.

– Et ces deux-là, demanda Dieudonné, qui sont-ils ?

– Le cuisinier et un valet. Ce sont de rudes gaillards, le bandit ne leur échappera pas, affirma-t-elle, sûre de ses gens.

– Madame, m'autorisez-vous à enfoncer la porte ?

– Je viens, Dupuy, nous aviserons sur place.

En parlant, Dieudonné avait imité Madeleine en enfilant au plus vite ses hauts-de-chausses élimés, sa chemise froissée, son pourpoint décousu, ses souliers usés. Dans un geste machinal, il saisit sa besace, y rangea son carnet. Madeleine avait attendu qu'il soit prêt pour ouvrir à Dupuy :

– L'homme est armé, l'informa le maître d'hôtel.

– Un homme ? s'étonna-t-elle, vous voulez dire un voleur !

Dupuy parut confus. Sur le moment, Dieudonné pensa que sa présence était la cause de son trouble, mais la suite de la conversation avertit son sixième sens qu'il faisait fausse route.

– Non, madame, réellement un homme, insista-t-il, en forçant sur les mots, un intrus, que nos gens retiennent vraiment.

– Mais, qu'est-ce à dire, Dupuy ? s'affola-t-elle, comme soudainement étonnée.

– C'est la vérité, madame. Il a dû casser une potiche ou un meuble, le bruit a alerté nos gens qui, dans l'entrebâillement, l'ont vu fouiller dans les papiers de Monsieur. Hélas, il a eu la force de les repousser dans le vestibule et de se barricader à l'intérieur du cabinet. Je vous répète qu'il est armé.

– Mais c'est terrible, Dupuy, terrible…

Dieudonné suivait leur dialogue avec une étrange impression. Que signifiait ce temps perdu à réfléchir plutôt qu'à agir et ce distinguo de langage pour qualifier le truand ? Était-ce l'émotion ou la peur qui les perturbaient ? Dupuy semblait pourtant solide avec sa mâchoire carrée et sa puissante stature, il ne paraissait pas homme à se laisser intimider par un voleur, son physique avait du répondant.

– Il faut y aller, Madame.

– Je viens avec vous, s'empressa d'ajouter Dieudonné, nous ne serons pas de trop si l'individu est dangereux.

Madeleine de Vigier sembla songeuse avant de se déterminer.

– Fort bien, monsieur, allons-y.

Dupuy porta haut le chandelier qu'il tenait pour éclairer le chemin. Ils le suivirent dans le couloir, descendirent l'escalier massif, parvinrent au vestibule où le cuisinier, tout en rondeur et bedonnant, pointait une broche, et le valet, garçon sec et nerveux, tenait une hache ; leur physique manquait singulièrement de cette splendide musculature dont Madeleine les avait crédités. La présence de Dieudonné aux côtés de leur maîtresse les surprit, mais celle-ci ne leur laissa pas le loisir de s'en émouvoir :

– L'homme est toujours là ?

– Oui, Madame, marmonna Pierre, le cuisinier, avec un fort accent normand. On l'a entendu mettre à sac les affaires de Monsieur.

– J'ai eu le temps de voir qu'il portait un pistolet à la ceinture avec une rapière, ajouta Jean-Baptiste, nous n'avons que des armes blanches à lui opposer, mais il ne le sait pas, sinon je pense qu'il serait déjà sorti.

– À quoi ressemble-t-il ? interrogea Madeleine.

– C'est un géant, tout barbu, plus fort qu'Hercule ; demandez à Baptiste comment il nous a repoussés, on valait pas mieux que deux plumes soufflées par un orage.

– Sa figure est couverte de vilaines blessures, il est coiffé d'un chapeau en cuir piqué d'une poignée de brins de paille en forme de croix.

– Une croix de paille ? (Les traits de la maîtresse de maison pâlirent.) Une croix de paille... Mon Dieu...

Dieudonné remarqua son émoi, mais pratique et décidé il préféra demander :

– Peut-il s'échapper de là où il est ?

– Impossible, précisa Dupuy, les fenêtres de la pièce donnent sur une courette ceinte de murs infranchissables. Le lierre qui les couvre est trop jeune pour résister au poids d'un homme.

– Et par où est-il passé pour entrer ?

– Il a crocheté la porte de l'office. De la belle ouvrage, il sait son métier.

– Donc, il ne peut que repartir par ici ?

– Il n'a pas d'autre issue, conclut le maître d'hôtel.

Le jeune homme prit alors les opérations en main, autoritaire :

– Hâtons-nous de le coincer. Dupuy, y a-t-il une arme à feu dans cette maison ?

– Ah, monsieur ! c'est bien le drame. Nous ne conservons qu'un vieux mousqueton, plus décoratif que dangereux, sans balles, ni poudre pour le charger.

– Peu importe, amenez-le-moi ; lui, à l'intérieur, ne sait pas que l'arme ne vaut rien, nous allons tenter de le leurrer.

Dupuy s'éclipsa pour revenir avec un antique fusil au canon bosselé.

Entre-temps, Dieudonné observa Madeleine. Il ne lut pas la peur sur son visage, mais plutôt une espèce de rage. Curieux, se dit-il, comme chacun réagit différemment aux événements ; mais le comportement de madame de Vigier avait un aspect étrange, malsain, qui mettait ses sens en alerte. Quelque chose boitait, mais quoi ? Il prit l'antiquaille sans rien faire paraître de ses présomptions :

– Merci, Dupuy… Madame, me permettez-vous d'agir à ma guise ?

– Faites comme bon vous semble, mais tout de suite. Ce monstre ne doit pas nous échapper, mort ou vif.

Que cela était commandé sèchement, sur un ton comminatoire très dissonant de ses roucoulades amoureuses.

Dieudonné nota ce nouveau trait de son caractère ; sans lui répliquer, il indiqua aux trois serviteurs de se répartir autour de la porte. Tout compte fait, il rendit le mousqueton à Dupuy, ne gardant, pour se défendre, que ses seules mains nues :

– Si on doit avoir une empoignade, je serai libre de mes mouvements, expliqua-t-il. Prêts ?

Les autres firent oui de la tête ; Dieudonné interpella le voleur :

– Holà ! Vous, là-dedans, sortez et rendez-vous sans histoire ! Nous sommes quatre hommes armés, décidés à faire feu si vous résistez… Vous n'avez aucune chance de vous enfuir, un peu de raison vous laissera en vie !

Un pesant silence, pendant quelques secondes, répondit à la mise en demeure. Lui succéda un formidable rire.

– Riez, si mon propos vous amuse, mais je ne plaisante pas ! Nous allons enfoncer la porte, et une fois la chose faite, je ne vous garantis rien !

Danglet compta mentalement jusqu'à dix : une fois ce répit consommé, il fit signe d'enfoncer la porte. Pierre et Jean-Baptiste s'apprêtaient à l'assister dans cette entreprise quand la voix du bonhomme résonna, puissante, assurée, avec un accent du nord de l'Europe indéfinissable :

– Mais pourquoi diable vouloir démolir un si beau chambranle ? C'est bien français que de détruire, sans réfléchir, ce que l'on a adoré la veille. Laissez cette porte tranquille, je vais l'ouvrir. Mais je vous préviens que je suis armé, moi aussi. Pas de geste brusque ou inutile, ou je tire, et j'avertis que je fais mouche à tous les coups !

La troupe attendit en se regardant, attentive au moindre bruit. La clé tourna dans la serrure.

– Voilà, entrez ! Et gare aux tours à la Scaramouche du signor Fiorelli : la *commedia dell'arte*, c'est bon au théâtre, pas dans la vie !

Après un moment d'hésitation, Dieudonné actionna la poignée. La porte s'ouvrit sans bruit, il la poussa. Grande ouverte, il constata le désordre dans lequel l'inconnu avait mis le cabinet – des dizaines de dossiers jonchaient le sol, éventrés, éparpillés en tous sens –, il avait aussi forcé un coffre ; son contenu répandu sans ménagement montra à

Dieudonné que le voleur semblait chercher un élément précis : seuls les papiers paraissaient attirer sa convoitise.

– Mon Dieu ! s'exclama Madeleine qui affectionnait cette expression.

Les quatre hommes, suivis de madame de Vigier, entrèrent lentement, sur leurs gardes. Ils virent d'abord l'homme. Assis de manière désinvolte sur la table de travail du procureur, il les attendait, un pistolet pointé sur eux. La description que Pierre et Jean-Baptiste avaient faite de lui n'atteignait pas la réalité : l'intrus était immense, un vrai titan revêtu de cuir des pieds à la tête, blond comme les blés mûrs ; des cheveux raides et une barbe mal taillée emprisonnaient sa figure couverte d'entailles. Dans sa main gauche, il tenait serré le pommeau d'une épée qu'il portait au côté droit.

Dieudonné reconnut en lui l'individu qu'il avait surpris à espionner la maison.

– Vous me pardonnerez, railla le colosse, je n'ai pas eu le temps de ranger.

Sur ce, après avoir scruté le reste de la pièce, Madeleine poussa un hurlement : le corps de François de Vigier gisait dans une mare de sang, près de la fenêtre, face contre terre.

– Monsieur ! cria Pierre, Monsieur !... Tu l'as tué ! Assassin !

– Tu vas le payer ! enchaîna Jean-Baptiste.

Mais l'homme arrêta l'élan du domestique, très maître de lui :

– Tt-tt ! Un pas de plus, et je tire ! Allez, en arrière, baisse cette hache.

Le valet, la rage au cœur, dut reculer. Madeleine poussait des cris de bête écorchée ; Dupuy, impuissant, serrait la mâchoire en malmenant son mousqueton de carnaval, le gros cuisinier suait de colère ; Dieudonné garda son calme. Il observa rapidement les lieux aux murs tendus d'un tissu gris maussade, le crucifix immense accroché entre les deux fenêtres, et, surtout, la richesse de la bibliothèque qui comportait des centaines de livres ! Il n'en avait pas admiré de pareille depuis Vendôme. Le procureur était un lettré, mais surtout, à constater l'aspect funèbre de son lieu de travail, un lettré fort triste. Le regard accroché à celui de l'homme, il lui désigna le procureur pour demander avec un timbre neutre :

— Permettez au moins que je vérifie s'il est bien mort pour lui fermer les yeux dans un geste chrétien.

— Vous êtes qui, vous ? Un parent ? Un proche ?

— J'ai l'honneur de connaître madame de Vigier depuis ce matin.

L'homme détailla la mise de Dieudonné :

— En tout cas, à voir vos soquenilles, vous n'êtes pas un serviteur de ce monsieur. Le ladre payait mal ses gens, mais savait les habiller.

— Vous avez ma parole : mis à part madame, il y a encore quelques minutes je ne connaissais personne dans cette maison, sauf le cocher.

— Le cocher ? Tiens donc ! Ne jurez pas, jeune homme, je vous crois. Allez-y, faites ce qu'il convient.

Dieudonné s'accroupit pour palper, avec précision, le corps du magistrat. La vie l'avait quitté. Il trempa ses doigts dans le sang, se les frotta, les essuya sur le justaucorps du cadavre. Il le retourna à demi ; la perruque du procureur glissa pour laisser place à la calvitie d'un crâne au sommet duquel s'ouvrait une plaie béante. Dieudonné l'examina. Par décence, il lui recouvrit la tête avec ladite perruque, sans doute sa seule coquetterie. Une fois qu'il l'eut mis sur le dos, il lui ferma les paupières et dut forcer les phalanges du mort, fort accrochées au col ensanglanté de sa chemise, probablement dans un réflexe ultime pour respirer. Ce dernier geste l'avait en partie déchirée. Son intention était de réunir les mains du défunt, comme pour une prière, ainsi qu'il se doit d'être fait pour un chrétien, mais les doigts du procureur étaient fort agrippés au vêtement ; Dieudonné les contraignit à un point tel pour les dégager que le mouvement en échancra davantage le col. Madeleine s'exclama :

– Sa clé !

L'effort avait mis à nu la poitrine de François de Vigier, tous pouvaient y voir une chaînette à laquelle pendait une petite clé.

– Donnez-la-moi ! cria sa veuve, presque hystérique.

Dieudonné regarda le voleur, réfléchit, pesa le pour et le contre avant de la décrocher.

L'homme le laissa faire jusqu'au moment précis où il allait la saisir :

– Arrêtez !... Ne la touchez pas !

– Pourquoi donc ?

– Ne discutez pas. Prenez mon gant, roulez-le en boule et protégez-vous de son cuir pour enlever cette clé de sa chaînette.

Dieudonné saisit le gant sans plus poser de questions. Madeleine assista à l'opération, les joues en feu, les yeux tirant des carreaux. Une fois qu'il eut fini, le jeune homme promena un regard interrogateur sur l'assistance.

– Dieudonné, apportez-moi cette clé, elle m'appartient !

Elle tendait des mains tremblantes, le corps pris d'une sorte de convulsion. Dieudonné ne bougea pas, le cerveau en action. L'homme trancha :

– N'en faites rien, jeune homme, levez-vous lentement et remettez-la-moi.

– Je vous l'interdis ! hurla Madeleine de plus belle, c'est mon bien.

– Mes excuses, madame, mais j'en ai décidé autrement.

– Voleur ! Infâme chien ! Dieudonné ! je vous ordonne de vous exécuter, sinon...

– Vous n'êtes pas en mesure d'imposer votre loi, madame, mon pistolet est pointé sur vous, rien que sur vous. Une seule balle, mais elle vous atteindra, foi de tireur d'élite ! Allez, jeune homme, en douceur et sans heurt, mettez la clé dans votre besace et venez vous ranger près de moi.

Dupuy tenta de l'intimider :

– Vous oubliez mon arme, moi aussi je peux tirer !

– Essaie, mon brave, et tu verras le résultat. Veux-tu courir le risque que je fasse un joli trou dans le cœur de ta patronne ?

Le serviteur fulmina, impuissant. Dieudonné, lui, obéit aux ordres de l'homme. Celui-ci se redressa, tira son épée, pointa la lame sur lui :

– Voilà comment la suite va se dérouler : ce garçon m'accompagne, il est ma garantie. Vous autres, poussez-vous dans ce coin, loin de la porte, madame de Vigier en dernier, je garde l'œil sur elle. Allez ! Exécution.

Après un moment d'hésitation, les serviteurs se murent vers l'endroit indiqué en traînant des pieds, suivis de Madeleine, dont les exécrations le disputaient aux injures :

– On vous retrouvera, on vous rouera, on vous crèvera les yeux, on vous écartèlera !

– Pardonnez-moi de ne pas souscrire à ce programme, madame ; je sais que l'espoir de vengeance est le fruit de l'impuissance, je vous laisse donc galamment à vos rêves.

Une fois qu'ils se furent rangés comme indiqué, l'homme fit signe à Dieudonné d'avancer devant lui. En maintenant son pistolet pointé sur madame de Vigier et, de la main gauche, son épée piquée dans le dos du garçon, il quitta la pièce, sous un flot de menaces qu'il n'écouta pas.

Sans attendre, il tira la porte du cabinet de travail, ferma la serrure, indiqua sortie à Dieudonné, qui obtempéra de bonne grâce.

Aussitôt revenu sur les pavés de la rue du Foin, le géant renfila l'épée dans son fourreau ; sur ce, il mit son bras sur les épaules de Dieudonné, comme s'ils étaient deux amis partis faire la fête, mais, de son autre main, il appuya discrètement son pistolet contre ses flancs.

– Avancez calmement en direction du Temple, il ne vous arrivera rien si vous vous tenez tranquille.

Autour d'eux régnait une grande agitation malgré l'heure tardive. Les ribaudes leur lançaient des sourires aguicheurs, les badauds couraient de taverne en taverne avec des hurlements ; nombreuses étaient les échoppes encore ouvertes, remplies de monde.

Dieudonné savait qu'il avait toutes les chances de renverser la situation ; à Vendôme, le père Rungoat, originaire de Quimper, lui avait enseigné la lutte bretonne, il connaissait le coup qu'il devait porter à l'homme pour se défaire de son emprise. Mais il n'en fit rien, un autre projet lui trottait dans la tête.

Ils arrivèrent à la hauteur de la demeure de feu monsieur Scarron où des gens se pressaient chez un rôtisseur pour acheter de petits pâtés au musc chauds, la folie des gourmands. L'homme s'arrêta.

– Très bien, nous nous quittons ici. Remettez-moi la clé en prenant soin de la maintenir dans son gant.

Dieudonné le dévisagea en souriant :

– Je vais vous la donner, certes, mais je ne vous lâcherai pas.

– Quoi ? s'étonna son ravisseur. Oubliez-vous mon pistolet ?

– Arrêtez cette comédie, monsieur, vous n'êtes pas un assassin ; ce n'est pas vous qui avez tué le procureur. Je sais aussi que vous ne tirerez pas sur un homme sans défense, c'est contraire à vos principes religieux.

L'homme afficha une mine stupéfaite :

– Et que savez-vous encore, monsieur le devin ?

Dieudonné arrondit ses mains comme s'il caressait une boule de cristal :

– Ah ! que sais-je ? que vois-je ?... Abracadabra ! Je sais que vous admirez feu notre bon roi Henri IV, puisque vous portez comme lui un chapeau albanais passé de mode... Un conseil, changez-en, vous avez l'air ridicule. Par ailleurs, outre que vous êtes gaucher, je vous sais sujet de Charles XI de Suède ; la rhingrave [1] que vous portez le prouve, de même que ces brins de paille croisés dans votre couvre-chef : c'est le signe de reconnaissance des soldats suédois. Enfin, pour toutes ces raisons, je sais que vous appartenez à la religion réformée et que la Bible vous interdit de tuer un innocent. Vous m'auriez déjà éliminé si vous étiez un vulgaire criminel.

L'homme paraissait de plus en plus déconcerté. Il referma une mâchoire d'acier que dix costauds n'auraient pas suffi à bouger, pour crier :

– Ventre mou ! Mais votre sorcellerie oublie de vous rapporter que je vous ai sauvé la vie en vous emmenant avec moi, loin de ces fous !

– Pas du tout, je l'avais compris...

Le Suédois, incrédule à ce miracle de l'esprit, le mit au défi :

– Comment ? Prouvez-le !

– Mais sans difficulté... Dans ces événements, je n'ignore qu'une chose : à quelle sauce cette compagnie souhaitait me manger, et surtout pourquoi ? Cela posé, pour vous répondre, j'avoue que c'est peu à peu que j'ai deviné que vous vouliez me tirer d'un mauvais pas. D'abord, vous m'avez interrogé sur mes relations avec les Vigier. Curieuse

1. Curieuse veste qui commençait à passer de mode, sauf dans les pays du Nord.

question de la part d'un voleur pris sur le fait. Votre interrogatoire sur mon commerce avec eux m'a alerté, vous cherchiez seulement à savoir à qui vous aviez affaire, civilité pour le moins étrange dans la situation que nous vivions. Mais auparavant, j'avais constaté que vous n'aviez dérobé aucun objet de valeur, seuls les papiers vous intéressaient, et surtout cette clé ! C'est elle que vous êtes venu chercher, et rien d'autre ! Enfin, en me lançant votre gant, vous m'avez montré votre souci de m'épargner. Je présume que c'est à cet instant que votre projet de m'embarquer a pris corps. Ai-je raison ?

Le Suédois contempla, à la fois admiratif et amusé, ce grand garçon à l'esprit vif. Il hésitait encore :

– Un mot encore, jeune homme : que faisiez-vous chez ces gens ?

– L'amour du corps, monsieur. L'équipage de madame de Vigier a failli m'écraser ce midi sur la route de Saint-Denis.

– Saint-Denis ?... Bien sûr... Continuez.

– J'ai dû mon salut à un méchant écart dans un fossé où je me suis blessé sans grand dommage. Madeleine de Vigier a tenu à me ramener chez elle pour me prodiguer des soins. La suite a été des plus agréable ; son mari était absent, soi-disant jusqu'à matines... alors...

Autour d'eux les plaisanteries fusaient, des gens de pied chantaient, dansaient comme à la Saint-Jean. Parfois, un riverain se risquait à les houspiller, mais ses cris ne faisaient qu'attiser leur fureur.

Le géant posa une ultime question :

– Et pourquoi désirez-vous me suivre, jeune homme ?

– Dieudonné, Dieudonné Danglet, tel est mon nom.

– Bien, Dieudonné Danglet ; alors, répondez.

– Pour l'honneur et la vérité, monsieur. On m'a joué un vilain tour, et je suis persuadé que l'issue devait m'être fatale. Je ne puis laisser l'affront sans réponse. Par ailleurs, en tant que disciple de Descartes, l'inconnu me désespère. Je veux savoir pourquoi on a tenté de m'attirer dans ce piège, la nature de celui-ci, et le sujet de cette maudite pièce dont je veux connaître l'auteur. Vous ne me devez rien, vous pouvez garder le silence, mais considérez bien ma motivation avant de refuser mon offre de services.

Un temps s'écoula avant que le Suédois ne répondît :

– Entendu, Dieudonné, vos raisons m'ont convaincu. Moi-même je n'aimerais pas laisser derrière moi quelqu'un qui a voulu ma peau. Et puis j'avoue que vous me semblez doué d'un raisonnement capable de m'aider efficacement !… Dieu me protège de mon instinct, mais il me conseille de vous prendre avec moi. Mon nom est Gustav Holbröe.

Ils se serrèrent la main en signe d'alliance.

– En route, jeune associé, le ciel bénisse notre entreprise !

– Et où allons-nous, monsieur Holbröe ?

– Dans le plus fantastique des royaumes, mon cher : la cour des Miracles !

Non loin de là, pendant que nos deux comparses conversaient, un individu marchait dans le Marais, l'air soucieux.

Plus maigre qu'un serpent desséché, il devinait la peur dans le regard de celui qui le croisait par les ruelles sombres de Paris. Son visage décharné, terminé en galoche, s'aggravait d'une longue estafilade. Il arborait, malgré lui, ce souvenir des combats de la porte Saint-Antoine, au temps de la Fronde. Ses yeux enfoncés ajoutaient à son air peu amène. Pour parler sans détours, excepté le Créateur et ses bottes rouges qu'il ne quittait jamais, sauf pour dormir, il n'aimait personne. Depuis longtemps, il ne considérait plus les êtres humains autrement que comme des âmes à sauver. Beaucoup, en ces temps de folle piété, cultivaient ce credo, mais lui entretenait la conviction que le Très-Haut l'avait personnellement investi d'une mission divine, bien au-delà des normes.

C'était à ce titre qu'il dirigeait sa vie et, pour l'instant, ses pas vers la place Royale [1], que les vieux Parisiens, par habitude, s'obstinaient à appeler les Tournelles.

Un carrosse, anonyme, puisque sans armoiries sur ses portes, l'attendait, rangé près de l'hôtel Sully. Dans ces lieux, Henri II avait vu la mort arriver au cours d'un tournoi resté tristement célèbre… De chagrin, Catherine de Médicis, son épouse, avait fait raser l'endroit ; s'y élevaient à présent les belles arcades dessinées par Chastillon.

Arrivé à la hauteur du carrosse, l'homme aux bottes rouges se rangea contre lui et prononça un mot de passe, à mi-voix, pour que la personne qui se trouvait à l'intérieur l'identifiât :

– *In cauda venenum.*

Silence. Une voix répondit après un temps chargé de prudence :

– Pérols ?

– Oui, c'est moi.

– Alors, ils ont réussi ?

Pérols, l'homme aux bottes rouges, soupira :

– Non, c'est un échec. Un intrus s'est introduit dans la demeure au moment de conclure. Il a renversé nos plans contre toute attente. Le jeune homme s'est enfui avec lui ; je n'ai pu les suivre.

– Que me contez-vous là ? C'est une catastrophe !

– Je ne pouvais intervenir, il y avait trop de témoins, un massacre n'eût pas été crédible.

1. L'actuelle place des Vosges.

La Voix, dans le carrosse, toussa. Après s'être éclaircie, elle reprit :

– Avez-vous pu identifier ce gêneur ?

– Oui. Je l'ai vu, de loin, pénétrer dans la maison, sans pouvoir agir. C'est une « croix de paille », un géant que je n'avais jamais rencontré jusqu'à ce soir. Il est reparti une heure plus tard avec le jeune homme en le menaçant d'un pistolet.

– Une « croix de paille » ! Ces gens nous causent décidément du souci.

– Quels sont vos ordres ?

– Laissez le garçon, il aura eu peur, il doit s'être caché. Concentrez vos recherches sur l'autre, débarrassez-nous-en… Quant à la clé, qu'en est-il ?

– Je suppose fort que le géant l'a emportée.

La Voix se racla à nouveau la gorge, signe de contrariété.

– Alors c'est grave. Trouvez-le, Pérols, rapportez cette clé, à n'importe quel prix, l'avenir du royaume en dépend. Il est temps qu'on arrête de se moquer de nous.

– Je le sais, comptez sur moi.

– Bien, je vais prévenir qui vous savez.

Un coup bref contre la paroi et le carrosse s'ébranla.

IV

Le Grand Coësre

Il fallait des yeux de chat pour se repérer dans la nuit parisienne ; l'absence d'éclairage public rendait chaque carrefour dangereux et pour les pas et pour la sécurité des promeneurs.

Dieudonné et Holbröe marchaient vite. Ils passèrent rapidement le Temple puis longèrent sans incident les anciens remparts de Charles V à demi écroulés. Une étrange faune les regarda passer, sans bouger, près des misérables cabanes construites contre leurs flancs en dépit des risques d'éboulements. Il est vrai que leur prestance, leur carrure et l'épée du Suédois furent de nature à faire réfléchir les garçons, tels que se nommaient eux-mêmes les bandits de la capitale.

C'était l'heure où les sabouleux ne bavaient plus une écume de savon qu'ils se collent au fond de la gorge dans de fausses contorsions épileptiques, où les malingreux se nettoyaient la peau de la farine mêlée à du sang dont ils l'enduisent pour imiter l'horrible aspect des ulcères variqueux, c'était l'heure où les « miraculés » chassaient le passant imprudent !

À cette allure, ils arrivèrent vite en vue de la porte Saint-Denis, siège de la principale cour des Miracles : Paris en comptait onze, mais celle-ci était la plus importante. À son approche, ils rencontrèrent des groupes d'hommes qui, sous le prétexte de se réchauffer, se réunissaient autour de feux de fortune, à écarts réguliers le long de la rue Neuve-Notre-Dame à la chaussée en terre battue ; en fait, ils surveillaient l'arrivée éventuelle des archers, prêts à donner l'alerte en cas de danger.

Holbröe, sûr de son chemin, les dépassa, suivi de Dieudonné, à moitié rassuré. Ils franchirent une grille découpée qui ne laissait le passage qu'à une personne à la fois. Cela fait, ils pénétrèrent dans la fameuse cour, espèce de long boyau insalubre planté de masures délabrées, mais aussi de maisons décrépies et, çà et là, de jardinets à l'abandon. Elle était à l'opposé de ce que Dieudonné avait imaginé, la cour usurpait sa réputation, car loin de s'ouvrir sur un labyrinthe mystérieux, elle s'étranglait dans une espèce de couloir sordide, limité par deux entrées, l'autre étant située au nord, entre les Filles-Dieu et Sainte-Catherine. Légende, donc, les lacis diaboliques, les enchevêtrements savants, les passages souterrains secrets ! La communauté des exclus se savait coincée entre ces deux accès, et c'est pourquoi ses guetteurs les gardaient de près ; en cas d'attaque, leur stratégie de repli se réduisait à se cacher dans quelque méchant boyau mal étayé ; seule une défense pied à pied du terrain pouvait repousser un ennemi.

– Bel endroit, n'est-ce pas ? ironisa le Suédois. Avant de trépasser, monsieur Mansart aurait eu une riche idée de venir ici exercer ses talents. Souhaitons que Hardouin, son neveu, l'ait à sa place, on le dit bon architecte.

Dieudonné écarquillait les yeux, consterné :

– Je vais vous faire un aveu, monsieur : je rêvais de cet endroit comme le plus féerique, le plus magique de l'univers ; à en croire ce qu'on colporte, je m'attendais à découvrir ici une grotte des mille et une nuits, un faste de mauvais goût avec des tentures d'or et des candélabres en argent dans les moindres recoins.

56

– C'est ce qu'on raconte dans les chaumières... Mais comme vous le voyez, ce lieu n'est que misère et désolation. Ces gueux sont les oubliés de Dieu et du roi de France.

Une espèce de grosse termitière bougea près de Dieudonné qui sursauta :

– Holà, qu'est-ce donc ?

Le Suédois grimaça :

– Un abri de boue séchée.

Il pointa un index vers des monticules :

– Regardez là, ici, et encore là, il y en a plein ! Ces malheureux pourrissent sous ces toits immondes, ils s'y consument, ils y crèvent. N'ayez qu'une crainte, c'est qu'ils en sortent un jour pour demander des comptes à ceux qui dorment dans des châteaux.

Holbröe reprit la route à pas lents, imité par Dieudonné, révolté par ce qu'il voyait : comment, au XVIIe siècle, pouvait-on laisser des hommes croupir dans cette fange ? On n'était plus au Moyen Âge, que diable !

Ils parcoururent ainsi une centaine de pieds, sans rencontrer quiconque, jusqu'à ce que, en silence, surgissent des êtres sortis de l'ombre. Les deux hommes s'arrêtèrent, soudain encerclés par des polissons à moitié dévêtus, des francs-mitoux qui marchaient fort bien sans l'aide de leurs béquilles, et d'un coquillart, pseudo-pèlerin de Saint-Jacques-de-Compostelle, lequel semblait diriger la bande :

– Alors, mes tout beaux, on visite ?

Il releva son visage anguleux : son chapeau couronné de coquilles l'empêchait de bien distinguer les étrangers :

– Que fait-on à cette heure dans la cour des Miracles ? On veut y trouver une auberge, ou on court au suicide ?

Les autres s'esclaffèrent, mais ne bougèrent pas. Holbröe ne parut pas intimidé ; au contraire, très à l'aise, il répliqua au pèlerin :

– Savoir manier la plaisanterie est un don du Seigneur, mon frère. Mais je ne suis pas ici pour batifoler, je viens parler au Grand Coësre.

La réponse surprit l'assistance, les rires cessèrent.

– Et qui es-tu pour demander audience au roi de la gueuserie ? interrogea le coquillart sur un ton grave, sais-tu ce qu'il en coûte de le déranger pour rien ?

Le Suédois ôta son chapeau :

– Tiens ! Va lui remettre cette croix ; mon nom n'a pas d'importance, il saura qui je suis et me recevra aussitôt.

L'homme examina la croix de paille avec intérêt. Il dut penser que l'inconnu devait être un personnage de haut rang pour insister avec autant d'aplomb ; nul autre que les gueux n'avait le droit de rencontrer le Grand Coësre, personne ne devait voir son visage sous peine de mort. Il tendit la croix à une femme encore jeune, mais déjà édentée, vieille avant l'âge :

– Marquise ! rencarde-toi sans esbigner.

La fille s'en saisit et courut sur-le-champ dans le boyau noir.

Dieudonné chuchota à l'oreille de Holbröe :

– Qu'a-t-il raconté ? Je n'ai pas compris un traître mot.

– C'est de l'« argot », une langue secrète de leur invention. Il lui a demandé d'aller voir le Grand Coësre ; notre pèlerin est un de ses cagous, autrement dit, un de ses lieutenants ; les femmes s'appellent des marquises à la cour des Miracles.

Le jeune homme fut stupéfait des connaissances du Suédois ; ce dernier s'exprimait déjà dans un français impeccable mais, en plus, il savait tout de la langue des argotiers. Où avait-il acquis ce savoir ?

Ils n'eurent rien d'autre à faire qu'attendre. La troupe ne manifestait pas d'hostilité, elle serrait les rangs dans le silence imposé par le cagou, disciplinée. La fille revint, toujours en courant, échevelée :

– Ils sont clairs. Le Grand Coësre les attend, avec égards, il a ajouté.

La nouvelle provoqua un murmure général. Du coup, le groupe s'évanouit comme par magie. Les deux hommes restèrent seuls avec le pèlerin qui les invita à le suivre dans un long chemin pentu et pestilentiel : la cour des Miracles s'enfonçait dans une déclivité malodorante.

Tout n'était que pauvreté autour d'eux ; des enfants en haillons, au corps maigre, suçaient des têtes de mouton grillées, leur principale nourriture, en posant sur eux des yeux vides ; des gueux dormaient, en râlant, à même le sol, dans la froidure de la nuit, à peine couverts. Décidément, se dit Dieudonné, il fallait se méfier des légendes, la cour n'avait rien de l'Olympe, elle ressemblait davantage au Styx et à son enfer... et on devait y renifler le même remugle, tant le lieu puait !

Le cagou pénétra dans une grande maison davantage éclairée que les autres. Des individus à l'air mauvais, musclés, armés jusqu'aux dents, contrôlaient son entrée. Ils les laissèrent passer. Des feux crépitaient dans des bassines, autour desquelles, accroupis, des gens de tous âges jouaient aux osselets, sales, déguenillés ; même les femmes ignoraient l'utilité des soins de la mise et du corps. Aucun d'eux ne leur prêta attention ; pour ces êtres, la vie coulait sans rien attendre des autres, ils ne s'intéressaient à personne.

Ils entrèrent dans une vaste pièce illuminée par de nombreuses bougies, luxe ineffable pour ces lieux. Au centre trônait un homme dans un siège canné, droit, entouré d'une cour de monstres, de bossus, de nains, d'estropiés. Ses joues creusées, couvertes d'une courte barbe en bataille, et ses cheveux gris sel hirsutes auraient pu ajouter à sa maigreur une impression satanique s'il n'avait brillé une curieuse lueur dans ses yeux. Dieudonné l'interpréta comme un signe d'humanité, un brasier d'amour entretenu avec ferveur pour qu'il ne s'éteigne pas, de peur de devenir un animal sans la chaleur de ses flammes. L'homme se leva, il sourit à l'arrivée du Suédois :

– Gustav ! Mon ami ! Mon frère !

Ils tombèrent dans les bras l'un de l'autre. Holbröe le serra sur son cœur, à l'en étouffer, possible danger de par sa puissance comparée à la chétivité du Grand Coësre :

– Henri ! Vieux truand ! Toujours pareil, tu n'as pas pris une ride…

– Si, mon renard, je l'ai vu dans ton regard rusé : le temps passe et ma santé décline. Mais je garde toujours les commandes. Moi vivant, la sécurité de mes sujets sera assurée, les gueux sont organisés.

Le Suédois surmonta une visible émotion pour enchaîner :

– J'ai vu tes archisuppôts à l'entrée ; rudes gaillards, tu es bien protégé.

– Ah ! ce ne sont pas des enfants de papiste à dire la messe ! Ils savent se battre, je leur ai enseigné moi-même l'art de l'escrime.

Les deux amis détaillèrent l'injure faite par les ans à leurs physiques respectifs. Le Grand Coësre conclut ce passage en revue :

– C'est toi qui n'as pas changé, solide, fort, et toujours généreux envers les plus démunis : « Le juste défend la cause des faibles. Le méchant n'a pas l'intelligence de la connaître », est-il écrit.

Ils desserrèrent leur étreinte. Les monstres, jusque-là attentifs, singèrent leurs effusions dans des postures comiques.

– Paix, les fols ! ordonna leur chef.

Ils s'arrêtèrent en simulant la crainte. Le Grand Coësre poursuivit :

– Alors, où en es-tu ? Ta présence me prouve que mon message t'est parvenu. Nous sommes lundi, as-tu pu avancer ?

– J'ai la clé, mais j'ignore ce qu'elle ouvre.

– Prends garde, ne l'attrape jamais à mains nues.

– Rassure-toi, mon ami Dieudonné Danglet la tient dans sa besace, enroulée avec soin dans un gant.

Le roi des Thunes observa le jeune homme :

– Et qui est donc cet ami que tu nous amènes ?

– Je l'ai rencontré à l'hôtel Vigier, aux pieds du cadavre du procureur.

À cette nouvelle, le chef des gueux sursauta :

– Comment ? Il est mort ? Cela remet tout en question, explique-moi…

Le Suédois raconta toute l'histoire au Grand Coësre attentif au moindre détail, et termina son récit avec force compliments sur Dieudonné :

– Garçon remarquable. Montre-lui une tête d'épingle, et il te dira le nom et l'adresse de son propriétaire. Il peut nous être utile dans ce combat.

En homme habitué à diriger, à mesurer la valeur des autres, le vieux examina le visage de Dieudonné. Il le jaugea, avant de l'interroger :

– Je te devine intelligent, mais cela ne suffit pas à me convaincre sur tes capacités, même avec la garantie de mon ami… Vas-y, étonne-moi, dis-moi des choses surprenantes, je verrai ensuite si je te garde avec nous.

Dieudonné croisa les mains dans le dos, geste familier qu'il affectionnait en période de réflexion. Il marcha de long en large, s'arrêta face au Grand Coësre, pencha le buste pour lui répondre.

– J'en sais beaucoup à votre sujet… Vous avez été militaire, et même officier, votre maintien le prouve ainsi que votre connaissance de l'art de l'escrime ; vous transmettez la science de l'épée, cela signifie que vous avez fréquenté le milieu fermé des académies ; vous aviez par conséquent du bien et un rang dans ce monde. Je suppose que vous avez perdu les deux à la suite d'un incident grave quand vous commandiez dans l'armée.

Séduit par cette introduction, le Grand Coësre l'invita à poursuivre :

– Bien… bien, continue.

– Vous avez rencontré monsieur Holbröe à la guerre, votre amitié est née sous l'uniforme. Nul besoin d'être mage pour s'en persuader, ni en deviner les circonstances : pour parler si bien notre langue, monsieur Holbröe a forcément longtemps séjourné en France, mais en combattant… Et comme la Suède nous accorde son crédit, c'est qu'il a servi sous nos drapeaux, allié d'une juste cause, sinon il ne pourrait revenir dans notre pays sans courir d'énormes risques. La seule envisageable est donc la Fronde, que la reine Christine ne voyait pas d'un œil tendre. J'en déduis donc que c'est pour Louis qu'il s'est battu, contre l'armée des princes.

L'œil du Grand Coësre pétilla :

– Parfait, mais encore ?

– Je vous sais par ailleurs huguenots, tous deux. Vous citez la Bible comme un pasteur, Grand Coësre, le proverbe salomonien que vous avez restitué de mémoire plaide pour cette hypothèse. Une autre conclusion s'impose en toute logique : vous serviez sous la bannière de monsieur de Turenne, protestant lui aussi.

– Remarquable ! couina le gueux, étranglé de plaisir.

Dieudonné imposa le silence aux monstres excités :

– Taisez-vous ! Je n'ai pas fini… Vous avez fait appel à monsieur Holbröe pour l'avertir d'un danger et lui demander son aide. En fait, cette démarche n'est pas l'appel d'un ami à un ami – je doute que monsieur Holbröe eût franchi tant de frontières pour vous tendre la main, il s'y fût pris autrement –, mais d'un protestant à un protestant.

– Précisez votre pensée, demanda le Suédois, intrigué.

– Cette histoire de clé m'embrouille sur l'heure. J'y vois mal. Toutefois, il était de votre intérêt commun de mettre la main dessus... avec précaution, ai-je compris ; peut-être en raison de la fragilité de sa matière ou d'une méchante mécanique qui distille un poison ? Je ne sais. Mais si le Grand Coësre, protestant français, recherché par la police du roi, quémande l'aide d'un gentilhomme venu de la lointaine Suède, pays de protestants, c'est forcément pour une histoire de protestantisme... Et j'en conclus que votre communauté religieuse court un grave danger en France ; mais vous ne savez lequel, puisque, de votre propre aveu, vous ne savez quelle serrure ouvre cette satanée clé. Voilà, j'en ai terminé. Des remarques ?

Un sifflement admiratif s'échappa des lèvres du Grand Coësre. Le Suédois applaudit, aussitôt suivi par l'assistance qui amplifia l'ovation avec des hurlements et des tours de saltimbanques. Les uns faisaient la roue sur les mains, les autres des sauts périlleux arrière. Le roi des gueux reprit :

– Bravo, mon garçon ! À mon tour de te surprendre : j'ai deviné que tu étais catholique, déduction aisée, certes, mais qu'instruit comme tu le sembles, tu ne peux qu'être un étudiant en rupture de ban avec un collège religieux, sinon que ferais-tu ici à cette heure ? Des remarques ?

À son tour, Dieudonné salua sa clairvoyance par une révérence.

– Alors si tu veux que l'on t'affranchisse, poursuivit le gueux, dis-nous sans mentir d'où tu viens. Sinon repars, tu as le choix.

Bien qu'elle lui déplût, le jeune homme se soumit à l'invite :

– Outre mon nom et mon aventure de ce jour, il vous reste à savoir que j'ai été élevé par les Oratoriens de chez qui je me suis enfui de crainte de devoir endosser la tenue.

– L'Oratoire ! s'exclama Holbröe. Excellente école ! Je comprends maintenant d'où vous vient votre passion pour Descartes. La reine Christine l'avait invité en Suède bien avant sa malheureuse conversion au catholicisme.

Dieudonné leur conta rapidement les épisodes sans éclat de sa courte vie. Son récit achevé, il eut l'audace de leur demander la pareille en retour.

Surpris, le roi des gueux se prêta pourtant sans manière à l'exercice :

– Tu as vu juste, mon garçon, je suis noble, d'une vieille famille huguenote. Mais enterrons le passé ; aujourd'hui je ne suis plus que le Grand Coësre. Mes parents me croient mort. Cela dit, tu as également raison sur le reste : j'ai bien combattu dans les rangs de Turenne contre Condé, avec Gustav, mon frère d'armes qui, par deux fois, m'a sauvé la vie sur les champs de bataille.

Le Suédois lui tapa dans le dos :

– Avec de la chance, mon cher Henri, sans héroïsme.

– Faux ! Je connais ta bravoure. Mais à quoi aurait-elle servi le jour où mon existence a basculé ? Personne ne pouvait me secourir.

Il se cala dans sa chaise, expira avec lassitude, le verbe triste :

– Oui, Dieudonné, là aussi tu as tout compris : j'ai tué en duel un de mes supérieurs, dévot à en vomir ; ce fou avait massacré des familles innocentes à Vitry où on se battait pour la conquête de Paris. C'était des Réformés. Ce barbare, guidé par la haine, les avait accusés à tort de servir la Fronde. Au spectacle de tous ces pauvres bougres égorgés ou pendus, la colère m'a pris… Tu devines le reste… La fuite pour échapper au conseil de guerre, l'errance… (Le Grand Coësre marqua un temps avant d'achever sa confession :) Mourir au combat m'eût été presque agréable – il nous faut bien un jour rejoindre Dieu –, mais pour une juste cause, avec panache, l'épée à la main, et pas comme un assassin, décapité au petit matin.

– « La mort était ma gloire et le destin m'en prive », déclama Dieudonné. C'est dans *Pompée* de Corneille, Pierre, le vrai poète, pas Thomas, son frère.

Un instant de silence leur servit de répit que Dieudonné rompit :

– Bien ! Considérons maintenant que je suis « affranchi », comme il vous plaît à dire ; cette affaire me concerne, j'y suis impliqué pour les raisons que j'ai évoquées, nous faisons cause commune. Je vous serai donc reconnaissant de bien vouloir m'en apprendre davantage.

Les deux anciens frères d'armes se concertèrent du regard. Un signe réciproque indiqua leur accord. Le Grand Coësre se cala dans son siège :

– Bien, mon garçon, je vais tout te raconter.

Et il lui narra l'histoire de Jacques Papelard.

Il faut toujours se méfier des laquais et des cheminées.

Cette mise en garde, que La Fontaine n'aurait pas reniée, prend tout son sens dans les événements qui se déroulèrent six mois plus tôt chez monsieur de Lagny – un proche de monsieur de Lamoignon –, magistrat à la Table de marbre, tribunal compétent pour juger les affaires relevant de l'amirauté, de la connétablie et des eaux et forêts.

Monsieur de Lagny possédait une fortune personnelle, amassée au fil des générations. Il avait ainsi pu se faire construire une splendide demeure par Bullet dans le faubourg Saint-Antoine, à un quart de lieue de la Bastille. Un personnel nombreux le servait, l'idée qu'il se faisait de son rang l'exigeait.

Parmi ses serviteurs figurait Jacques Papelard. Le nom du laquais aurait dû alerter ce dévot, puisque, à l'origine, le patronyme moyenâgeux du bonhomme accusait un catholique peu soucieux des règles religieuses et de l'autorité du Saint-Père. Mais en y regardant de près, il se serait aperçu, au-delà des inqualifiables péchés que le nom dudit étalait au grand jour, que ce Papelard était huguenot, membre de la Religion Prétendue Réformée... L'horreur pour un dévot !... Mais la mode et l'étiquette voulaient que les gens de bien ne s'intéressassent qu'aux prénoms de leurs valets. Qui plus est, madame de Lagny, personne souffreteuse, s'épuisait en coliques que la thérapie de l'épine-vinette finissait d'éteindre. La rigueur qu'elle eût dû apporter au recrutement de ses gens en pâtissait, et c'est grâce aux suites d'un méchant lavement qui l'avait affaiblie que Jacques Papelard fut engagé sans qu'elle lui posât les questions d'usage avec la rigueur voulue.

Or, en ce soir d'octobre 1666, monsieur de Lagny recevait chez lui. La chose était banale, mais bien moins le soin et l'étrangeté dont il avait entouré la réception. Il avait fait préparer un souper froid à l'étage et exigé de son personnel qu'il se retirât : il servirait lui-même ses convives. Mieux encore – et le procédé intrigua tous les gens de maison –, ses invités devaient arriver par la porte de derrière, autant dire en cachette ; monsieur de Lagny tenait à les accueillir seul, sans l'aide de quiconque. Toute l'aile droite de la demeure fut décrétée interdite à ses gens pendant le temps de cette rencontre. Il est certain que, du cuisinier à la chambrière, on jasa beaucoup sur ces précautions. À la fin, de racontars en conjectures, on pensa que Monsieur devait s'occuper d'une affaire grave dont l'instruction méritait qu'il reçût ses témoins en secret, hors de son cabinet du Parlement.

Jacques Papelard se conforma à ses ordres ; il dressa le couvert avec harmonie, répartit les pâtés, les rôts, les salades, transvasa le vin dans de fines carafes, puis alluma un grand feu dans l'immense cheminée ; les rigueurs de la saison réclamaient de la chaleur. Lorsqu'il eut achevé ces préparatifs, monsieur de Lagny l'assigna au rez-de-chaussée, dans une pièce située en dessous de celle du lieu de la réception et raccordée à elle par un système très moderne de cordon à sonnette. Ce dispositif permettait au maître d'appeler son valet en cas de besoin. Jacques se soumit à la procédure. Il s'installa donc dans le salon où ce mystère l'avait consigné. Le temps passa, long, monotone, ennuyeux. Il faisait froid et le bonhomme commençait à geler. L'idée lui prit de se rapprocher de la cheminée éteinte, mais reliée à celle du dessus dont il espérait recueillir un peu de bienfait. À ces fins, il passa le corps dans le conduit. Une fois installé dans l'âtre, en prenant garde à ne point se salir, il fut surpris d'entendre les voix des convives résonner jusqu'à ses oreilles. Le crépitement des flammes, la chute des bûches dans l'âtre l'empêchèrent toutefois de bien percevoir les propos des hommes réunis au-dessus de sa tête. Voilà le dialogue qu'il entendit des voix inconnues :

– Anéantir la peste protestante… Devoir de tous…

– Frapper un grand coup !… Sans pitié…

– Le roi… De notre avis… Les soumettra, les chassera…

– Notre plan… Fort… Détruire… Fort…

– Fort… On les accusera… Explosion…

– Fort… Protestants coupables… Opinion contre eux.

Papelard n'en crut pas ses oreilles ! Une étonnante émotion le fit chavirer : ainsi, monsieur de Lagny conspirait, et non moins que pour abattre ses frères réformés ? Les bribes de phrases qu'il retenait prouvaient que le magistrat et les personnages qui l'entouraient préparaient un méchant coup contre sa communauté. Que fomentaient-ils dans ce but ?

Apparemment, ils projetaient de faire sauter un fort, de faire accuser les protestants de ce méfait. Mais quel fort ? Et comment ? Il tenta d'en apprendre davantage en tendant le cou, mais la crépitation du brasier l'en empêcha. Il remarqua néanmoins le timbre plus grave d'un homme qui se raclait parfois la gorge avant de prendre la parole. Ce dernier paraissait commander les autres :

– Fort… Mission sacrée… Vigier… Relais entre nous… Informera…

– Notre puissance… Pouvoir… France catholique !…

– Parpaillots morts… Gloire de Dieu…

– (Raclement de gorge) Discrétion… Compte sur tous… Plan… Fort…

Hélas, Jacques ne put en savoir plus : quelqu'un avait ranimé le feu en jetant du bois sur les chenets, ce qui rendit tout espionnage impossible de par le sifflement de leur calcination. Mille terribles pensées l'assaillirent. La guerre contre l'Espagne allait éclater. La soldatesque se préparait au combat ; le peuple, approbateur pour une fois, soutenait la cause de Louis. Il semblait clair à l'esprit de Jacques qu'un attentat contre un site militaire, dans l'état où elle se trouvait, frapperait l'opinion qui exigerait les têtes des coupables. Et si celles-ci appartenaient à des protestants, traîtres et ennemis de leur propre pays, en sus d'une légitime décapitation des boucs émissaires, on pouvait présager qu'une nouvelle Saint-Barthélemy parachèverait l'action d'une parodie de justice !

À l'affût, Jacques guetta le moindre mouvement, le plus petit bruit. Des portes s'ouvrirent, on chuchota dans les couloirs, des pas résonnèrent dans l'escalier de derrière. Sans hésiter, notre homme prit le risque de passer par la fenêtre et de contourner la demeure pour tenter d'apercevoir ceux qui sortaient. Vaine tentative : le dernier quart de lune ne lui permit de distinguer que la forme de quatre personnages et les bottes rouges que l'un d'eux portait. Jacques se cacha dans un recoin du mur pour entendre la fin de leur conversation ; la voix éraillée se raclait la gorge en y mettant un terme :

– N'oubliez pas vos instructions, Vigier.

– Comptez sur mon empressement à les exécuter.

– Préservez bien les documents qui les détaillent dans ce réceptacle... Voilà... Bouclez-le avec cette clé dont vous ne devez pas oublier le pouvoir mortel, gardez-vous de son usage.

L'ombre monta dans un carrosse puis disparut dans la nuit après un adieu poli de monsieur de Lagny.

En toute hâte, Jacques Papelard rebroussa chemin, rentra, ferma les fenêtres, remit de l'ordre dans sa livrée et attendit. Le maître de maison le sonna. Il monta pour desservir...

La nuit ne fut pas propice à son sommeil. Il ne cessa de se demander qui il devait alerter du danger que couraient ses semblables. Il songea au pasteur, mais il ne fréquentait plus le temple de Charenton par crainte qu'on découvrît sa religion ; il fallait bien vivre, et pour vivre heureux, il vivait caché. À force de passer en revue les personnes capables de faire obstacle au complot qu'il avait découvert, le nom de son cousin Armand finit par s'imposer à sa mémoire. Un fossé profond les séparait, mais compte tenu de la gravité du cas, il se promit de le combler, de faire table rase du passé et de le joindre au plus vite.

Le lendemain, à la faveur d'une course, il s'arrangea pour gagner le quartier des Saints-Innocents. Dans cet endroit peuplé, se côtoyaient, dans une consternante égalité, la vile puanteur méphitique du cimetière et les nobles senteurs aromatiques du marché aux herbes et légumes que la Ville autorisait à se tenir près du charnier. En descendant vers la Seine, il dépassa le lieu d'un pas et d'un nez pressés pour atteindre sous peu la chapelle Sainte-Opportune. Face à elle, il se mit en faction. Les fidèles entraient, sortaient de l'église sans s'arrêter, sollicités de toutes parts par les mendiants qui s'accrochaient à eux comme des lentes à des cheveux pommadés. Les callots exhibaient leur teigne à l'envi, les hubins quémandaient quelques sols pour payer le voyage à Saint-Hubert qui les guérirait de la rage, les estropiés imploraient la charité pour consulter un médecin. Ce furent ces derniers que Jacques observa attentivement ; il savait que son cousin se dissimulait parmi eux.

Armand, dans sa jeunesse, avait été un soldat loyal envers le roi ; mais la rage avait surpassé sa fidélité lorsqu'un jour, n'ayant plus d'ennemi à combattre, Sa Majesté l'avait congédié comme un laquais, lui, un héros ! Il échoua à Paris, pauvre, démuni, rejeté, furieux. Comme son ressentiment contre la terre entière perdurait en vain, il limita avec profit la géographie de sa haine à une seule paroisse parisienne. Mais entre-temps, d'aucuns avaient guidé son esprit et sa démarche, car pour manger à sa faim on l'invita à grossir les rangs des drilles, ces soldats sans ressources, privés d'un membre ou de la vue, et qui, en fait, formaient un fameux bataillon de simulateurs. La spécialité d'Armand devint la jambe de bois. À la cour des Miracles, on lui apprit à mettre son faux moignon en valeur, à jouer des béquilles, et si personne ne lui faisait l'aumône, il la prenait habilement dans la bourse des bourgeois. Autant dire que la fréquentation d'un tel parent pour Jacques Papelard relevait de l'impossible. Il ne le voyait plus. Mais aujourd'hui, il devait le retrouver, la vie de milliers de gens dépendrait peut-être de leur dispute…
Lors de sa dernière tentative pour ramener son cousin dans le droit chemin, Armand ne lui avait-il pas confié, dans un moment de soûlerie, que le Grand Coësre partageait leur foi religieuse ? Jacques comptait naïvement sur cette carte. Dans la foule, il distingua soudain l'uniforme d'un servant de batterie, sale et rapiécé. C'était bien son cousin qui mendiait sous le porche. Il s'approcha du faux estropié, s'arrêta pour

lui donner une pièce. Doucement, pour que nul n'entende, il parla à voix basse :

– Armand, suis-moi discrètement, j'ai de graves confidences à te faire.

L'autre acquiesça d'un clin d'œil, mais en hurlant toutefois :

– Que sainte Opportune, saint Joseph et tous les saints vous bénissent !

Armand laissa passer quelques minutes avant de rejoindre son cousin parti s'embusquer rue des Lombards, située au coin de la chapelle. Il n'eut donc que peu de chemin à parcourir pour le serrer dans ses bras, malgré leur différend :

– Vieux fripon ! Alors, tu te souviens de moi ?

Jacques ne put réprimer un accès d'émotion :

– Comment t'oublier, Armand ? Nos pères sont frères, la famille est sacrée. Mais toi, tu l'as abandonnée.

– Peuh ! Je mène une vie agréable, « qui m'aime, me suive », comme disait le Béarnais avant sa mascarade papiste.

– Pour gagner quoi ?

– Beaucoup, question argent. Dans l'armée, l'entrepreneur [1] qui m'employait à ses canons me versait vingt sols par jour. Avec mes béquilles, je gagne cinq fois plus !

– Je te crois, mais ce n'est pas pour discuter salaire que j'ai voulu te rencontrer. C'est grave, Armand, je suis porteur d'un secret trop lourd pour moi. Il y va de la vie de beaucoup d'innocents.

Son cousin fronça les sourcils :

– À ce point ?

– J'en fais serment sur la Bible.

1. Jusqu'aux réformes de Louvois, le roi ne possédait pas d'artillerie ; il louait canons, officiers et servants à des entrepreneurs spécialisés, payés à la journée.

– Morbleu ! s'écria Armand stupéfait, toi, jurer sur les Écritures ? Il faut que l'affaire soit d'importance. Que se passe-t-il ? Dis-moi comment t'aider.

Jacques souffla, rassuré des dispositions d'esprit de son parent :

– Avant de t'en entretenir, je veux la confirmation d'une confidence que tu m'as faite un soir : le Grand Coësre est-il bien protestant ?

– Pourquoi ? interrogea l'ancien servant, sur ses gardes.

– Parce que de ta réponse dépendra la suite de mon récit. Mais sache, Armand, que j'ai la preuve qu'une nouvelle Saint-Barthélemy se prépare.

L'homme perdit son sourire :

– Tu te joues de moi ?

– Pas du tout.

Il réfléchit une dernière fois :

– Bon, d'accord, il est protestant.

Alors, soulagé, Jacques lui narra son histoire.

Le Grand Coësre respira profondément avant de reprendre le fil de son récit, comme s'il venait de courir à travers champs :

– Armand vint me rapporter les propos de son cousin. D'un autre que lui, je ne les aurais pas pris en considération, les esprits sont inventifs à la cour des Miracles, toujours prêts au mensonge pour mettre leur auteur en valeur. Mais Armand cultivait son honneur de soldat, un peu comme moi. Il n'avait pas fui la société, ce sont les circonstances qui l'avaient amené ici. Je l'ai donc cru.

– Pourquoi en parlez-vous au passé ?

– Patience, mon garçon, tu sauras tout, mais une chose après l'autre.

72

Dieudonné bouillait d'impatience, il faisait des efforts sur lui-même pour ne pas bousculer son interlocuteur afin qu'il en vienne vite au fait.

Le Grand Coësre poursuivit son récit sur le même ton monocorde, celui que l'on entend souvent chez les vieux prélats fatigués de faire croire qu'ils n'ont plus rien à apprendre de la lumière des hommes, alors qu'ils n'ont employé leur existence qu'à leur imposer leur obscurantisme :

– J'entrepris, sur ce, une vaste chasse à l'homme avec l'aide de mes truands. La force de notre réseau dépasse de loin celle de la police, et je ne pense pas que le lieutenant nommé par le roi, monsieur de La Reynie, puisse un jour égaler notre efficacité. La preuve en est que monsieur de Vigier fut rapidement localisé par mes garçons, ses faits contrôlés, ses allées et venues notées avec soin.

– Et alors ? le pressa Dieudonné, qu'énervaient ces circonlocutions.

– Par trois fois on l'aperçut à palabrer avec l'homme aux bottes rouges. Leurs rencontres avaient lieu le soir, à l'abri des oreilles indiscrètes, on ne pouvait les entendre.

– Et cet homme, vous l'avez identifié ?

Le Grand Coësre leva les bras au ciel :

– C'est le diable, s'il existe ! Malin comme dix singes, il se méfie de tout, sans cesse à courir brusquement sur un quai, à sauter sur une berge, à s'assurer, tapi derrière un pilier, que nul ne l'épie ou ne le suit. Pour parler franc, ce démon est habile, il sait apparaître et s'évanouir comme et quand il le veut, sans qu'on ne s'y attende, et toujours au bord de la Seine. Mes meilleurs pisteurs s'y sont cassé les dents, même à plusieurs en montant des traques savantes.

– Vous ne savez donc rien sur lui ?

Une grimace en signe de négation lui répondit. Dehors, les bruits d'une rixe éclatèrent. Les monstres se précipitèrent pour aller la voir, dans des cris de joie. Un seul resta qui écoutait en ne disant mot : Dieudonné remarqua qu'il ne souffrait d'aucune infirmité ; il s'interrogea sur son rôle. Le Grand Coësre reprit :

– Cependant, un événement nous permit d'agir auprès de Vigier. À sa troisième rencontre avec « Bottes rouges », comme nous avons fini par appeler l'inconnu, on le vit, en colère, se disputer avec lui. D'après le rapport qu'on m'en fit, leur conversation prit un ton menaçant, quelques mots criés par Vigier parvinrent à mes espions.

– Lesquels ?

– « Assez », « Monstrueux », « Barbares »… C'est tout ce qu'ils perçurent de la dispute, mais Bottes rouges leur sembla fort mécontent du magistrat. Cet incident me fit renifler l'odeur d'un désaccord, d'autant qu'à partir de ce moment Vigier sembla craindre un danger, toujours à se retourner, sans arrêt sur ses gardes. Ce tour nouveau m'inspira de prendre la main. Nous organisâmes un guet-apens dans l'espoir de le faire parler.

Dans le boyau, les clameurs s'étaient éteintes. Les monstres revinrent en se rigolant. La nature de l'incident importa peu au Grand Coësre, il ne leur demanda rien, mais ordonna qu'on servît du vin à ses invités. Il en profita pour lui-même en écluser une demi-pinte.

– Ah ! Causer donne soif… Bien, où en étais-je ?

– À ton guet-apens, lui rappela le Suédois.

– Oui… Nous savions que tous les lundis, monsieur de Vigier laissait son carrosse à sa femme pour lui permettre de se rendre à Saint-Denis, comme elle l'a d'ailleurs fait aujourd'hui. C'est le lundi après la chandeleur que nous choisîmes pour le coincer sur le chemin qui le ramenait du Parlement à son hôtel. Joli coup, bien monté, avec trente hommes, pas un de moins ; le sieur ne nous a pas échappé, et il a parlé !

Sur ce, content de ses effets, le Grand Coësre se tut pour se reverser du vin.

– Que vous a-t-il raconté ? demanda Dieudonné, de plus en plus énervé.

Mais l'ancien officier aimait à se faire prier. Il poursuivit lentement :

– Bavard sur le fond, non ! Loquace sur la forme, oui ! Quand il comprit qu'on n'en voulait ni à sa vie, ni à son argent, il fut encore plus effrayé. Je menais moi-même l'interrogatoire, le visage caché par un masque. Sans lui dévoiler mes sources, je lui fis part de ce que je savais et exigeai qu'il me dise le complément... « Monsieur, répondit-il, je vous ai pris pour "eux", mais je comprends à présent que vous défendez la cause huguenote. Ce qui se trame dépasse l'entendement d'un chrétien, et je refuse à présent de me mêler à ce complot. Je le leur ai dit et crains pour l'intégrité des miens, car ils ne me pardonnent pas mon abandon. Ils sont puissants, terribles ; je redoute de tout vous avouer, non pour moi, mais pour vous : vous ne serez jamais de taille à lutter contre leur organisation si vous n'appartenez au roi en personne. »

Gustav Holbröe enchaîna :

– Vigier n'acceptait de se confier qu'au représentant d'une autorité établie, légale, capable de déjouer des plans dont on ne savait que peu de chose. Henri eut alors le réflexe de lui proposer mon aide. La Suède est un pays ami ; il accepta, heureux d'avoir en prime la garantie de son armée.

– J'ai décidé de prévenir Gustav, mais son pays est plus éloigné que la lune ! Il a fallu des semaines à mes messagers pour l'atteindre.

– Et beaucoup d'autres encore pour que j'arrive enfin en France. Vigier avait bien recommandé de ne l'approcher que le lundi, sans nous dire vraiment pourquoi. Désirait-il protéger sa femme, l'éloigner de ses ennuis ? Possible...

Hier, dimanche, j'ai enfin franchi les portes de Paris et dès ce matin je me suis posté devant son hôtel, à l'attendre comme convenu.

Dieudonné se souvint des vains efforts de Holbröe pour dissimuler son énorme carcasse dans une maigre encoignure. Mais ce n'est pas pour l'avoir aperçu rue du Foin qu'il rajouta :

– Et vous ne l'avez jamais vu ni y entrer ni en sortir !

– Comment pouvez-vous en être si sûr ? s'étonna le Suédois.

– Cartésien ! s'esclaffa le jeune homme, hilare ; le moment venu, je vous éclairerai sur ce point. Je vous surprendrai une fois encore en affirmant qu'il devait vous remettre une clé – la clé confiée à ses soins par le mystérieux chef de l'organisation – et le coffre qu'elle ouvre.

Holbröe s'étouffa :

– Comment savez-vous ?…

– Simple : sans sa promesse, par votre ami Henri interposé, de vous confier les précieux documents dont Jacques Papelard a parlé, je ne crois pas que le roi de Suède vous aurait délivré un ordre de mission.

Estomaqué, le colosse éclata de rire :

– Bravo ! Vous avez compris que Charles XI est un souverain économe de l'argent de son royaume. C'est vrai que l'existence de ces papiers l'a fait pencher pour mon départ ; il se peut qu'ils aient une valeur politique négociable dans l'avenir.

– Mais hélas, si vous avez la clé, il vous manque la serrure, le réceptacle, et les méchants papiers qu'elle protège.

Les compères s'abîmèrent dans une grimace de dépit. Holbröe, dubitatif, contempla la clé au creux de son gant, le Grand Coësre, désabusé, but d'un trait une nouvelle pinte de vin. Dieudonné les secoua :

– Bon ! Nous n'allons pas nous arrêter en si bon chemin. Vous avez des suggestions ?

Un silence gêné, des mines déconfites répondirent à son enthousiasme.

– Moi, marmonna le Suédois, je vais examiner de près cette clé ; peut-être a-t-elle une histoire à nous raconter ?

– Mes truands vont continuer à surveiller l'hôtel de Vigier et celui de monsieur de Lagny, des fois que des événements nouveaux s'y produiraient.

Le jeune homme les observa, sidéré :

– Et Jacques Papelard ? Et Armand ? Et Bottes rouges ? Vous en faites quoi ?

– Les Papelard ? dit Holbröe d'une voix grave, ils sont morts.

– Comment, morts ?

– Une de mes croix de paille, un officier attaché à notre ambassadeur, les a joints avant que je n'arrive à Paris. Il faut croire que leur rencontre aura été remarquée : Jacques Papelard a été retrouvé battu, torturé, égorgé le lendemain à Saint-Paul ; quant à son cousin, on l'a repêché dans la Seine, plus gonflé qu'une outre ! Monsieur de Lagny devait être sur ses gardes.

– Et qu'aviez-vous appris de ces malheureux ?

– Ce que nous savions déjà. On les a tués pour rien.

Le Suédois conclut par un brimborion dans son patois nordique pour saluer leur mémoire. Le Grand Coësre enchaîna :

– Quant à Bottes rouges, mes garçons ont beau patrouiller dans Paris, envolé ! Plus trace de ce corbeau.

Dieudonné réfléchit à toute allure :

– Les trois fois où Vigier l'a rencontré, c'était où ?

– Attends que je m'en souvienne… Oui : d'abord à la tour Saint-Jacques, ensuite à l'Hôtel de Ville, et en dernier à la pointe du pont aux Changes.

77

– Bien, bien… Toujours à deux pas de la Seine, près d'un pont, sur la rive droite. Et vous le cherchez dans ce périmètre ?

– Partout dans ce coin, oui.

– Et à chaque fois qu'il s'est échappé, vous avez procédé de même ?

– Grand Dieu, bien entendu ! Où veux-tu qu'il aille ?

Dieudonné exulta :

– Eh bien, voilà l'erreur !

– Comment ça ?

– Bottes rouges est un goupil, un rusé… et pour avoir été nommé aux basses œuvres du complot, certainement un militaire habité d'une logique de militaire. Il attaque et se replie sur le terrain de son choix, là où on ne l'attend pas. Observez bien sa manœuvre, c'est vous qui me l'avez révélée : vous perdez toujours sa trace sur les berges. Pourquoi, à votre avis ? Parce que s'il apparaît rive droite, c'est donc qu'il se retranche sur la rive gauche, ou encore sur l'île de la Cité ou sur l'île Notre-Dame, suivant un plan savamment mis au point pour perdre qui le suivrait. Et mon flair me dit que dans l'un de ces lieux se niche son repaire. Je suis sûr qu'avec une bonne carte et un peu de géométrie je saurais quadriller le terrain où il faut le chercher.

Le Grand Coësre se frappa le front en levant les yeux au ciel :

– Cartésien, comme tu dis. Pourquoi n'a-t-on pas pensé à fouiller par là ? Allez ! on va s'y mettre, mais cette fois en procédant avec méthode, et il me semble que tu n'en manques pas.

Dieudonné éclata de rire :

– N'exagérons pas mes talents ! J'essaye tout au plus de réfléchir.

– Parfait ! C'est ce qu'il nous faut : je te propose de retrouver Bottes rouges.

Dieudonné ne sut s'il devait se sentir flatté :

– Moi ? Et comment ? Seul ?

– Non, ma fouine, tu auras mes sbires pour t'aider à fureter. Tiens, prends cette croix de paille, elle te servira à trouver Charonne.

– Charonne ?

– Un garçon à moi, un peu indépendant mais fidèle. Je ne te donne pas son adresse, c'est contraire à la règle. Tu iras demain sur le Pont-Neuf, où tu trouveras l'illustre Savoyard ; impossible de le manquer, tout le monde le connaît. Quand tu le verras, tu lui remettras ta croix de paille, c'est un signe de reconnaissance ; il te conduira à Charonne qui te prêtera du monde.

Sur ce, avec une ferveur retrouvée, les vieux compagnons se répartirent la tâche. Il fut convenu de maintenir Lagny en observation.

– Et avec de la chance, on saura assez vite le nom de ce fort.

– Dieu t'entende, Gustav. Quant à toi, mon garçon, maintenant, tu nous oublies. Ne viens plus jamais à la cour des Miracles, on te préviendra par l'entremise de Charonne. Il sait me joindre facilement.

Dieudonné acquiesça :

– Entendu, je respecterai vos instructions à la lettre. Ceci mis à part, je vous informe que je ne sais pas où loger. Qui plus est, je n'ai plus un sol, ma bourse est restée dans la chambre de madame de Vigier.

Le ricanement du Grand Coësre répondit à son aveu :

– Pour un esprit d'une telle qualité, ça n'est pas malin ! Soit, voilà une bourse, mais tu ne dormiras pas à l'auberge, c'est trop risqué. L'Éloquent va te conduire dans une retraite sûre, proche des Feuillants. L'Éloquent ! Viens là. Tu as entendu ?

Celui que Dieudonné avait remarqué un peu plus tôt s'approcha. Son crâne en forme de poire, dévasté par une calvitie galopante, s'inclina dans une approbation répétée ; ses gros doigts s'agitèrent.

– Parfait, l'Éloquent, je te fais confiance. Tu vois, Dieudonné, évite de lui demander de te faire la conversation : l'Éloquent a eu la langue arrachée par les soldats de Condé pendant la Fronde pour avoir osé faire précéder le nom de Mazarin du titre de monseigneur. On sait punir le crime comme il se doit, dans ce pays... Allez, va, ne traîne pas davantage.

Le Grand Coësre, Holbröe attaché à ses pas, tint à raccompagner Dieudonné jusqu'au dehors. Ils traversèrent d'autres pièces qu'il n'avait pas vues auparavant. Dans l'une d'elles, le jeune homme s'étonna de découvrir un groupe en prière devant l'image de la Sainte Vierge :

– Marie, la mère de Dieu, chez vous, un parpaillot ? Surprenant.

– Tu sais, ici on prie qui on veut. De toute manière, ces bougres replongeront dans le péché dès demain, et ils se repentiront à nouveau le soir même. Quel est le dieu capable de supporter un tel discours ? J'ai entendu dire qu'en Chine on vénérait un dénommé Bouddhi ou Bouddha. Si j'avais des Chinois, je n'hésiterais pas à clouer son portrait à côté de la croix ; les gueux n'ont pas de chance dans cette vie, il faut leur laisser espérer qu'ils en auront plus dans la prochaine.

Dieudonné prit congé. Il suivit l'Éloquent qui mugissait pour lui indiquer le chemin avec force mouvements des bras. Il repassa entre les cabanes en boue, enjamba des corps allongés, entrevit des ribaudes, épuisées, s'écrouler de fatigue en plein chemin. L'Éloquent le pressait. Ils franchirent la grille découpée pour descendre au plus vite la rue Neuve-Notre-Dame.

Une fois qu'ils eurent dépassé les pelotons de guetteurs plantés autour des feux, ils ralentirent l'allure. Dieudonné y voyait mal dans la nuit sans lune. À l'aveuglette, il suivit son guide habitué aux lacis de la route. Il marcha ainsi, sans repère, virant ici, continuant là. Où étaient-ils exactement ? Il distingua les ailes d'un moulin, perçut le babil d'un ruisseau, mais surtout il vit trop tard une lueur étrange danser à un croisement. Une voix s'éleva, brusque, autoritaire :

– Halte ! Plus un pas !

Une ronde du guet leur barrait la route, torches allumées à bout de bras, toutes armes pointées vers eux. Ces gens-là avaient plus peur que les truands, cela les rendait dangereux. L'Éloquent le prit par le bras pour l'entraîner dans une ruelle tortueuse.

– Tu sais où aller ? l'interrogea Dieudonné.

Le muet répéta une série de « han-han » en secouant les épaules. Non, il n'en avait pas la moindre idée, mais il fallait se sauver, courir, vite, avec ces enragés aux trousses qui hurlaient comme des rabatteurs à la chasse.

Par là, non, par ici ; revenir ; repartir ; tourner, à gauche ou à droite ? Allez, va pour tout droit, après ce calvaire ! Et derrière, ces fous qui crient. Où sont-ils ? À quelle distance ? On ne voit rien, fichue ville, toutes les maisons se ressemblent avec leurs colombages ! Passer par ce jardin ? Non, essayons cette rue, on dirait une montjoie dans cette niche, c'est bon signe…

– Arrêtez-vous, plus un geste !

Une autre patrouille ! Pris en tenaille ! Il y a des jours, comme ça, où rien ne va. Allez, courage, tentons notre chance dans ce chemin… Les deux rondes se sont jointes pour la curée, on l'entend au nombre des voix. Courir, leur échapper, à tout prix !…

Leur choix ne fut pas des meilleurs, il se porta sur une impasse. Premier arrivé sur le mur, l'Éloquent eut le temps de revenir en arrière afin de prendre de l'élan pour tenter de passer par-dessus. Dieudonné s'y cogna, perdit un temps précieux avant d'évaluer la situation pour faire de même. Mais le destin avait décidé que sa vie dépendrait de ce mur. Un archer arriva face à lui alors qu'il faisait demi-tour pour s'élancer :

– Les mains en l'air, ou je te transperce !

Sa hallebarde s'enfonça dans son thorax, il ne put que s'exécuter, d'autant que d'autres l'entouraient déjà. Il vit le reste de la troupe fondre sur l'Éloquent en plein effort pour franchir l'enclœure. Les sommations d'usage furent lancées à la va-vite : l'Éloquent leur répondit par des grognements qui furent traduits comme un refus d'obtempérer ; sans chercher à comprendre, un archer lui planta sa lance dans le dos. Le gueux s'écroula en râlant comme un chien blessé, dans une suite de plaintes atroces à entendre, presque inhumaines, avant de se raidir d'un coup, du sang plein la bouche, les yeux étonnés, fixés sur son meurtrier.

– Assassins ! Turcs ! cria Dieudonné. Il était muet ! Il ne pouvait dire mot !

Pour toute réponse, le chef de la troupe lui asséna un coup dans les reins. Il tomba. Le souffle court, incapable de réagir, il ne put éviter un dernier coup de botte :

– Debout, charogne ! En route pour le Châtelet !

Alors que l'âme de l'Éloquent s'envolait vers un monde dont on ne peut disserter que par supposition ou foi profonde, un carrosse s'arrêtait au Château Vieux de Saint-Germain-en-Laye. Un laquais courut en ouvrir la portière. Avec précaution, pour ne pas glisser sur le marchepied, une forme humaine, engoncée dans un long manteau noir, en descendit en toussant. Sans attendre, elle évita l'entrée principale où une armée de courtisans guettait l'occasion de se mettre en valeur sur le chemin du roi par l'accomplissement d'une révérence savamment répétée. La pratique de cet art épuisait la moitié de leurs journées, la médisance, indispensable nourriture sociale de la vie de la Cour, occupant le reste de leur temps. S'élever, sans rien faire, n'est pas une science de miséreux.

La forme, après avoir longé les murs d'un pas pressé, entra dans la demeure royale par une petite porte que, curieusement, personne ne gardait. Sans faiblir l'allure, elle grimpa un étroit escalier jusqu'au deuxième étage où elle s'arrêta pour reprendre son souffle. Là, une quinte l'immobilisa. Cette accès de toux l'obligea à attendre avant de pousser la porte ; la forme ne voulait pas qu'on la voie à son désavantage. Une fois rétablie, elle pénétra, sans frapper, dans une petite pièce où elle patienta. L'attente fut courte, quelqu'un la rejoignit presque aussitôt. Les deux personnages échangèrent un rapide mais convenable salut avant d'aborder le sujet qui les réunissait dans ces conditions discrètes :

– Alors, avons-nous réussi suivant le plan prévu ?

– Non, hélas, c'est un échec. Pérols n'a pu intervenir.

– Comment cela ? Expliquez-moi.

– Un inconnu, un serviteur des croix de paille, s'est introduit dans l'hôtel de Vigier sans qu'on le remarque. Il a tout fait échouer, emmené le garçon que le destin nous avait désigné, mais surtout, il a trouvé la clé.

– La clé ! Mon Dieu…

– Rassurez-vous, il ne sait comment l'utiliser… Le drame, c'est que nous non plus ; Vigier a brouillé les pistes, on ignore où il a pu cacher les documents.

– Y a-t-il des témoins ?

– Hélas, oui. Nous allons devoir avancer leur rencontre avec le Créateur.

Un lourd silence suivit cette annonce. Deux quintes de toux le dissipèrent. En personnes élevées dans le respect des manières, les conspirateurs essuyèrent leur morve dans les poignets de leurs chemises.

– Encore des meurtres, toujours des morts… Doit-on vraiment verser tant de sang ?

– La gloire de Dieu l'exige ! On ne peut continuer à se tromper d'ennemi, l'Espagne est catholique, donc notre alliée dans la vraie foi. Elle nous aidera à anéantir les protestants, à soumettre les peuples hérétiques, l'Angleterre en premier lieu.

– J'admets que l'on conseille mal Sa Majesté dans ses choix politiques.

– Et davantage dans ses idées de grandeur, de lustre, de faste au profit desquelles elle protège des assassins de l'esprit, déguisés en artistes. Notre projet touchera son ambition, rien d'autre ne peut plus l'atteindre ou la faire réagir.

Ils se lancèrent un regard complice, d'accord sur ce constat.

– Entendu ; que le Seigneur guide votre bras, j'approuve toujours votre plan. Toutefois, pour notre sécurité, je vous prierai de ne plus me voir en cachette. Une fois que le succès aura couronné votre action, je prendrai le relais pour guider le roi. Comptez sur mon appui, vous jouerez un rôle essentiel dans l'avenir de la France.

– Je vous promets la discrétion, nous ne nous rencontrerons désormais qu'à la Cour.

Après un ultime assaut de politesses, la femme et l'homme se séparèrent.

V

Le contrat de monsieur de La Reynie

C'est à pied, d'une allure décidée, que La Reynie arriva aux abords du Grand Châtelet. La cloche de Saint-Jacques de la Boucherie sonna sept heures. À marcher d'un pas volontaire, il ne lui fallait que peu de temps pour se rendre de chez lui, rue Quincampoix, jusqu'à la forteresse aux deux étages lugubres. Personne ne devait s'attendre à son arrivée aussi matinale. Il comptait sur l'effet de surprise pour apprécier son monde, juger de la bonne application des mesures qu'il imposait à tous depuis sa prise de fonction le 29 mars. Veuf depuis bientôt vingt ans, père d'une fille qui avait pris le voile (ses trois autres enfants étaient morts), La Reynie ne connaissait pas de contraintes familiales. Il consacrait sa vie à ses charges, en vrai monstre du travail bien fait ; mais les épreuves du passé et la solitude pesaient sans doute dans son acharnement à traiter dossier sur dossier.

Autour de lui, la foule devenait plus intense. Les marchands ambulants entonnaient leurs cris pour attirer les chalands, les particuliers se pressaient vers le débarcadère de la place de Grève afin d'y acheter les produits frais acheminés par la Seine, ou de la viande à la grande boucherie du marché de l'Apport Paris, face au Châtelet. Les boulangers ouvraient boutique dans une bonne odeur qui attirait les clients vers leurs pains de ménage, de citrouille, de couleurs, ou d'autres pétris pour le goût et la bourse de chacun, mais surtout vers celui de Gentilly, fait au beurre, le meilleur de tous au dire des connaisseurs. Beaucoup remontaient en direction des Halles, endroit réputé pour la qualité du poisson que vendaient, dans des saillies inimitables, les fameuses poissardes aux manières plus crues que la chair des anguilles dont elles fracassaient la tête.

Sous la voûte du Grand Châtelet, La Reynie croisa les filles hospitalières de Sainte-Catherine pressées de regagner leur couvent. « Encore des noyés », se dit le lieutenant de police : ces religieuses avaient pour vocation de s'occuper des corps que le fleuve rejetait sur les berges.

Il grimpa quatre à quatre les marches de l'escalier principal, traversa un long couloir, fit irruption dans la salle du guet. À sa vue, l'émotion fut vive ; les avachis se redressèrent, les fumeurs cachèrent leurs pipes, on cessa de parloter.

– Bonjour, messieurs ! Alors, quoi de neuf cette nuit ? Où est le commissaire de semaine ?

– Heu, bêtifia un archer.

– Je vois ! répliqua sèchement La Reynie. Fort bien. Vous ! Vous étiez de guet cette nuit ? Il pointa un index sur un petit rondouillard sanguin.

– Oui, monsieur le lieutenant de police, répondit le sergent en remettant de l'ordre dans son uniforme.

– Parfait, montrez-moi donc le registre que j'ai demandé qu'on tienne à jour sur tout méfait constaté ou personne arrêtée au cours des rondes. Allez ! où se trouve-t-il ?

L'homme ne sut comment dissimuler son incapacité à exécuter cet ordre ; il bafouilla, s'enferra, son visage sentit la sueur arriver à grosses gouttes :

– C'est-à-dire, monsieur le lieutenant de police… Enfin… Voilà… Les commissaires nous demandent de leur présenter un rapport verbal avant de tout consigner par écrit eux-mêmes.

– Et que me vaut cette distraction dans ce que j'ordonne ? J'ai pourtant été précis : tout-écrire-tout-de-suite ! M'avez-vous compris ? Au diable les commissaires !

Une colère froide envahit La Reynie ; la stupide opposition de certains des commissaires – incapables, imbus d'eux-mêmes et jaloux de leurs prérogatives – le mettait hors de lui. Il haïssait le ministre qui avait eu, jadis, l'idée de vendre les charges de police ! La plupart de leurs détenteurs n'étaient pas dignes ou capables de les assurer. Il se calma. Ces pauvres bougres, bourgeois miliciens pour la plupart, n'y étaient pour rien ; pris entre deux feux, ils ne savaient plus à qui obéir.

– Messieurs, je vous rappelle que je n'ai pas acheté ma fonction, je la tiens du roi lui-même, par un édit signé de sa main ! Aussi, lorsque je vous prie instamment d'enregistrer les délits que vous avez constatés, les noms des gens que vous avez arrêtés, les crimes commis, les circonstances dans lesquelles ils ont été perpétrés, et ce, dès votre retour au Grand Châtelet, considérez que c'est Sa Majesté qui vous l'ordonne ! J'interdis à quiconque, quel que soit son grade, de lui désobéir : j'ai les moyens de le lui faire regretter. Est-ce clair ?

La troupe baissa la tête ; beaucoup demandaient à ce que la situation soit nette, qu'on sache enfin qui avait rang sur l'autre entre les lieutenants des prévôtés et La Reynie. Les textes étaient flous. Déjà que pour certains de ces gens, dont le métier n'était pas d'être policier, mais marchand ou négociant, devoir renforcer les effectifs du guet était une corvée, alors recevoir en prime des remontrances pour cause de conflit d'intérêts brisait le peu d'enthousiasme qui subsistait en eux.

Le lieutenant de police commença sans tarder à leur faire savoir qui commandait maintenant ; il interrogea les archers un à un :

– Vous ! Qu'avez-vous à me dire sur votre nuit ?

– Nous avons mis fin à un duel entre des soldats du Royal Picard et des étudiants de la Basoche. Deux de ces derniers sont blessés.

– Et les soldats ?

– Leur capitaine a été prévenu. Il est venu les rechercher pour les mettre aux arrêts ; ils dépendent de sa justice, nous avons dû les relâcher.

– Parfait ! À l'heure qu'il est, ils doivent arroser leur exploit… Et vous ?

Son compère n'en menait pas large non plus :

– Moi ? Ben… Nous avons surpris cinq hommes qui déchargeaient des tonneaux de vin en cachette, au port Saint-Bernard, pour ne pas avoir à payer les taxes.

– Et après ?

– Ils se sont enfuis à notre vue. Nous en avons capturé deux sur le haut de la berge, coincé deux autres dans une rue plus loin, mais le cinquième a réussi à s'enfuir dans les jardins de Notre-Dame.

– Excellent ! Et où sont ces gaillards ?

L'homme, la trentaine, grand, sans une once de graisse, qui paraissait solide dans son corps et dans sa tête, se rapetissa :

– Monsieur Séguier, prévôt de Paris, a gardé les deux premiers, puisqu'ils ont été appréhendés sur les berges qui relèvent de sa juridiction ; les deux suivants, pris dans Paris, sont d'autorité à monsieur Voisin, prévôt des marchands, qui les jugera ; quant au dernier…

– Je sais ! l'interrompit La Reynie, le bailli de Notre-Dame est seul autorisé à décider de son sort… (Il applaudit, furieux :) Bravo ! Tout cela me semble pour le mieux, nous avons cinq truands répartis dans trois juridictions qui s'ignorent ; gageons qu'aucune ne pensera à communiquer à l'autre les informations qu'elle tirera de ces bandits, que

88

nulle confrontation contradictoire ne sera menée, ce qui fait que jamais nous ne saurons si ce délit était un cas isolé ou l'œuvre d'une organisation prête à recommencer !

– Mais qui puis-je, monsieur ? demanda l'archer, abattu.

– Certes rien sur le plan légal. Toutefois, si vous aviez au moins noté les noms et adresses de ces coquins sur ce sacré registre, comme je l'exige une fois pour toutes, peut-être aurions-nous pu remonter une piste ou avertir les autorités compétentes. Avez-vous au moins pensé à relever le nom de leur bateau, qu'on sache d'où il vient, à qui il appartient ?

Le blâmé tritura nerveusement les bords de son feutre :

– J'avoue que non, monsieur le lieutenant de police.

– Merveilleux ! Appréciez que je ne vous demande pas l'origine du vin qu'ils transportaient ni le goût qu'il pouvait avoir.

Autour de La Reynie un silence coupable faisait place aux messes basses frondeuses du début. Il interpella un exempt, prêt à lui jouer la gamme :

– Quant à vous, monsieur, qu'avez-vous de beau à me rapporter ?

Fatigué de sa nuit à traquer la cagnardise, le bonhomme, la cinquantaine, desséché, les joues creuses, articula avec peine :

– Nous avons fait la chasse à deux individus suspects qui s'avançaient de la cour des Miracles. Pas très catholique, leur attitude : ils ont détalé plus vite que des lapins à notre première sommation, alors on leur a couru après. Une autre ronde nous a prêté main-forte ; heureusement, sinon, un peu plus et ils nous échappaient. Des voleurs, j'en suis certain.

– Jusque-là, tout va bien. Avez-vous, vous aussi, une suite désastreuse à m'asséner ?

– Oui et non. Oui, parce que dans la bataille l'un d'eux a été tué en persistant dans sa mauvaise résolution ; non, puisque l'autre est sous les verrous, ici, au deuxième étage.

Le visage de La Reynie s'illumina de son premier sourire de la journée :

– Enfin une bonne nouvelle ! Toutefois, je suppose que la mauvaise est que vous attendiez, comme tout le monde, l'arrivée, à huit heures, de messieurs les commissaires pour qu'ils rédigent un rapport sur cette arrestation ?

L'exempt se tordit les mains de confusion :

– Hum… Oui, monsieur le lieutenant de police… Mais je sais le nom du garçon, il nous l'a dit ! ajouta-t-il fièrement, comme pour se rattraper.

– Et quel est-il ?

– Dieudonné Danglet. J'ai même sa besace avec toutes ses affaires et, mine de rien, un collier en or avec un médaillon d'une grande valeur qu'il portait au cou ; l'objet d'un larcin, sans aucun doute : un gueux de cette espèce ne peut en avoir hérité, même s'il jure le contraire sur la croix.

Quelques rires saluèrent la fine et plaisante déduction de l'exempt.

– Tenez ! Regardez-moi cet attirail : des hauts-de-chausses, du savon, un rasoir, un livre : *Discours de la méthode*… J'ai pas lu ; des notes, un crayon et, pour terminer, le fameux bijou !

La Reynie jeta un œil distrait sur les affaires. En revanche, il ouvrit le livre de Descartes qu'il découvrit couvert d'annotations en marge de ses lignes. Il feuilleta les pages du carnet personnel de Danglet, surprit une écriture souple, une rédaction sans ratures, preuve, à ses yeux, d'une certaine concentration d'esprit de la part de son auteur. Il y ajouta une culture évidente. Puis son regard se posa sur le médaillon, et son corps fut pris d'un soudain tremblement. Il en bredouilla presque :

90

– V... vous m'affirmez avoir saisi cet objet au cou de l'individu ?

– Parfaitement, et je ne vous répéterai pas les injures dont il nous a abreuvés quand on le lui a enlevé.

– Mais qu'a-t-il fait de mal, au juste ?

– Ben, dame, il a couru !

– Et à part courir, a-t-il tué ou volé en flagrant délit ? Quelqu'un a-t-il porté plainte contre lui ? Le soupçonne-t-on d'un mauvais coup ?

– À vrai dire...

L'exempt se gratta le crâne.

– En résumé, hors son refus de répondre à votre appel et son rejet du commerce de votre compagnie, aucune charge ne pèse contre lui ?

Le bonhomme était de plus en plus embarrassé :

– Vu sous cet angle, non... Il n'empêche que sa conduite était bizarre !

Ce médaillon ! Comme il brûlait les doigts de La Reynie ! Il se disait que puisque les desseins de Dieu étaient impénétrables, il fallait obéir à Ses signes. Il contempla longuement les motifs gravés, le crucifix avec deux épées croisées en son milieu, l'agneau et le grain de blé sur la gauche et, sur la droite, un fusil posé sur un drapeau à fleur de lys. Il n'avait pas le droit d'hésiter, c'eût été un péché :

– Dans ce cas, nous n'avons rien à lui reprocher. Alors faisons l'économie d'un procès, amenez-le-moi dans mon cabinet. Je l'interrogerai moi-même. Bien entendu, je garde ses effets ; inutile, donc, de remplir le registre d'une affaire qui ne me paraît pas en être une.

Il se retira sur ces paroles, laissant plus embarrassés que cois les gens du guet. Son ultime directive élargissait la brèche avec les commissaires, les pauvres exempts devraient expliquer à ceux-ci l'incident, source d'une prévisible dispute. Les commissaires, en effet, tiraient profit des écrits.

Leurs fonctions se divisaient en deux attributions principales : la première s'attachait au travail de police proprement dit, pour lequel ils n'étaient pas rétribués et qu'ils délaissaient par conséquent ; la seconde, grassement juteuse, touchait à toutes sortes de procédures, de la mise sous scellés à l'établissement de rapports et de comptes divers. Au même titre qu'un notaire ou un magistrat, ils étaient propriétaires de leur office, moyennant une forte somme versée à l'État, se traitant entre eux de confrères et non de collègues. Dont acte. De ce fait, la décision de La Reynie enlevait à d'aucuns le moyen d'ouvrir un dossier, source de profit.

– Trop de chicaneurs dans ces rangs, marmonna le lieutenant de police, il y a là matière à grand ménage, et je vais m'y atteler.

Pendant qu'il gagnait son cabinet, un archer monta chercher Dieudonné qui croupissait dans sa cellule. Les étages furent pénibles à ses jambes après une nuit de course. À bout de souffle, il parvint au second niveau de la tour ouest où un garde somnolait. Il le tira de ses rêveries :

– Danglet ! Tu le libères, le lieutenant de police veut lui causer.

– Je l'attache ?

– Non, on n'a rien contre lui. Laisse-le aller.

Le garde en avait vu d'autres, rien ne le surprenait plus. Il traîna sa ventripotence jusqu'aux barreaux derrière lesquels le jeune homme attendait, allongé par terre.

– Allez, le pailleux, debout ! On t'attend.

Dieudonné se releva d'un bond, oubliant les souffrances de son dos qui persistaient depuis le coup reçu au cours de son arrestation :

– Je suis libre ?

– Tout doux, jeune coq, tes pieds sont encore dans la paille du fumier. Patiente un peu avant de chanter, quelqu'un veut d'abord te parler.

– Qui cela ?

– Monsieur de La Reynie soi-même.

– Le lieutenant ?

– Puisqu'on te le dit.

Mille et deux hypothèses traversèrent son esprit pour comprendre ce qui justifiait cette convocation. La Reynie, excusez du peu, demandait à le voir ! Pourquoi donc s'intéresser à sa modeste personne ? Il ne retint qu'une seule raison parmi toutes celles qui l'assaillirent : son carnet ! Mais il lui parut insensé qu'un personnage si haut placé perdît du temps à instruire une affaire aussi mince que celle des cent livres de l'Oratoire. Non, il devait s'agir d'un sujet bien plus grave, mais lequel ? Avait-on retrouvé des documents compromettants sur la dépouille de l'Éloquent ? C'était peu probable ; madame de Vigier avait-elle donné son nom à la police ? Il allait bientôt l'apprendre.

L'archer l'accompagna jusqu'au rez-de-chaussée sans échanger un mot. Ils arrivèrent face à la porte du cabinet de La Reynie qu'un jeune clerc gardait derrière une petite table surchargée de papiers. Point ne lui fut utile de leur demander ce qui les conduisait là, il le savait déjà :

– Dieudonné Danglet, je suppose ?

– Exact, je l'amène voir monsieur le lieutenant de police.

– Je suis au courant. Patientez ici, j'annonce son arrivée.

Le clerc s'éclipsa pour prévenir son supérieur ; il fut de retour très vite et ouvrit la porte en grand :

– Entrez, Danglet, monsieur de La Reynie vous attend.

Dieudonné n'était pas facilement impressionnable, mais pour la première fois de sa vie, son cœur battait le rigodon à la perspective de rencontrer un homme si haut placé, proche du roi.

Grande fut sa déception. Il se faisait une idée trompeuse de la décoration qui entourait une personnalité de ce rang ; sans l'imaginer clinquante, il la supposait de bon goût, avec cette touche de discrétion qui caractérise l'homme de condition. Or, il ne vit dans le cabinet que des murs nus, à l'exception d'un vieux plan de Paris accroché derrière le fauteuil du lieutenant de police, des dossiers empilés sur des sortes de tréteaux, une table de travail mangée par les vers. La Reynie se tenait debout près de la fenêtre, à regarder couler la Seine.

– Approchez, Danglet.

Dieudonné s'avança jusqu'à la table et, ne sachant que dire, opta pour une brève formule de politesse :

– Mes respects, monsieur.

La Reynie se retourna lentement vers lui ; le jeune homme put apprécier la fermeté de ses traits, la détermination inscrite dans un regard qui semblait vouloir percer la pensée des autres. Les sourcils fuyaient sous la perruque, le nez, légèrement busqué, rejoignait presque des lèvres minces surmontées d'une moustache proprement taillée. Le menton, volontaire, se fendait d'une fossette. Une force naturelle servait sa voix :

– Danglet, je n'irai pas par quatre chemins pour m'entretenir de votre cas. En fonction de vos réponses, vous sortirez de cette pièce, libre, voire nanti d'une aide que je vous accorderai, ou alors je vous ferai conduire à la Tournelle. Vous savez ce que cela signifie ?

– Oui, monsieur, c'est la prison des galériens ; ils y attendent leur transfert pour la mer ou l'océan.

– Bien, vous comprenez vite. Sachez que monsieur Colbert m'a prié de lui fournir une grande provision d'hommes en bonne santé pour ses galères ; elles ont besoin de bras. Votre condition physique fait de vous un candidat de choix pour cet emploi, alors si votre ambition n'est pas de ramer, je vous conseille de ne pas me mentir.

– Loin de moi cette intention, monsieur.

– Nos vues concordent, parfait.

Ce liminaire achevé, La Reynie retourna les affaires de Dieudonné étalées sur la table.

– J'ai parcouru vos Mémoires en diagonale ; je ne vous félicite pas des conditions de votre fuite de Vendôme.

– La prêtrise m'effrayait, monsieur, je n'ai pris que ce qui m'appartenait en laissant une bonne partie pour leurs bonnes œuvres.

– J'entends bien, mais il y a des moyens plus élégants de faire l'aumône.

– Certes, mais imaginez la réponse des pères si je leur avais demandé la permission de me lancer dans le monde. Je doute qu'ils eussent exaucé mes vœux ; j'ai longuement réfléchi avant d'agir ainsi.

Les doigts du lieutenant de police effleurèrent l'ouvrage de Descartes, mirent les vêtements de côté, rangèrent le nécessaire de toilette, saisirent la chaîne et le médaillon.

– Mon médaillon ! s'exclama Dieudonné.

– C'est à vous ? Avez-vous la preuve qu'il n'est pas volé ?

– Sur ma foi, monsieur, je fais le serment que ce bijou m'appartient ; si nous étions à Vendôme, les pères de l'Oratoire vous confirmeraient qu'il m'accompagnait lorsqu'ils m'ont découvert sous leur porche.

La Reynie sembla songeur :

– Et maintenant, à quoi allez-vous consacrer votre vie ? Vous l'avez bien mal engagée, comment envisagez-vous sa suite ?

– J'ai pris la résolution de servir dans les armées du roi.

– Militaire ? Pourquoi pas, après tout ? Mais votre absence de noblesse desservira votre carrière. Même si Sa Majesté privilégie le talent plutôt que la particule, il vous faudra de la chance pour accéder aux plus hauts grades. Espérez-vous un jour devenir lieutenant-colonel de l'infanterie comme le fut le duc d'Épernon ?

Dieudonné sourit au piège :

– Chacun sait qu'à la mort du duc, il y a six ans, ce grade a été supprimé, il faisait de son détenteur l'égal de Sa Majesté dans l'armée.

– Vous connaissez donc ces menus détails ?

– Les Oratoriens nous instruisaient des faits du monde.

– Je sais, leur enseignement est, comment dire ?... « moderne »... Mais revenons au duc d'Épernon : que savez-vous d'autre à son sujet ?

Dieudonné, sans chercher à saisir le but de la question, relata les principales étapes de la vie du grand soldat. Il ignorait que La Reynie lui avait été très attaché, au point de vivre sous son toit pour mieux le servir dans l'amitié. Le duc, panier percé, avait rejoint Dieu couvert de dettes. Pendant des années, La Reynie s'était ingénié à redresser ses comptes, à le représenter devant les huissiers. D'Épernon l'avait désigné comme exécuteur testamentaire. Malgré ses occupations, le lieutenant de police continuait à défendre les intérêts de madame de Flers, sa légataire universelle.

Le jeune homme s'interrompit, dans l'attente d'une autre question. La Reynie le regarda intensément. Se pouvait-il que... ? Quelle bizarre chose que le destin, et quel poids que celui du secret ! Il lui fallait pourtant se décider. Il changea soudain de ton :

– Asseyez-vous, Danglet, et écoutez-moi bien : mon discours va vous étonner, mais considérez-moi dès lors comme un ami ou un parent à qui vous pouvez accorder toute confiance.

Dieudonné, effaré, se posa machinalement sur une chaise.

– Sur mon honneur et sur mon Créateur, je vous assure de l'honnêteté de mes propos. Ne cherchez pas à comprendre ce qui les motive, je ne peux rien vous révéler. Ce qu'en revanche je peux vous jurer, Danglet, c'est qu'au nom de ces raisons qui resteront cachées, je saurai vous protéger. Me comprenez-vous ?

– J'essaye, répondit Dieudonné, de plus en plus abasourdi.

– Mon engagement, je l'admets, ne peut que vous paraître étrange. Mais je vous jure qu'il est franc et loyal. Une fois pour toutes, comptez sur mon appui.

Hébété, le jeune homme balbutia :

– Monsieur, je… je vous crois, mais tout cela est si soudain…

La Reynie reprit plus fermement :

– Maintenant, je vous demande en retour de ne rien me dissimuler, de me conter, sans omettre quoi que ce soit, ce qui vous a poussé à vous enfuir devant le guet. Vous avez ma parole que tout ce que vous direz ne sortira pas de ces murs, et que quoi que vous ayez fait, je trouverai une solution à vos soucis.

Dieudonné respira profondément. Que lui arrivait-il ? Il ne comprenait plus. Les fées, heureusement, l'avaient pourvu d'un instinct d'exception qui lui commanda de jouer le jeu sans hésiter. Il écouta ces paroles de sagesse…

Les aiguilles de la pendule posée sur la table avaient tourné deux fois en rond dans leur cadran. Elles affichaient neuf heures trente.

Dieudonné n'avait arrêté son récit qu'aux questions de monsieur de La Reynie, précises à chaque interruption, et en était venu à bout sans omettre la moindre réflexion utile à sa parfaite compréhension.

Il détestait les tours et détours superfétatoires d'une narration, aussi les détails auxquels il avait accordé de l'importance surprirent-ils de manière favorable le lieutenant de police :

– Mes compliments, Danglet, vous êtes direct, concis, j'aime les gens comme vous, ils sont rares.

– Je n'ai aucun mérite, monsieur, Dieu m'a doté d'un esprit à peu près charpenté.

La Reynie se leva ; il revint à la fenêtre en maugréant :

– Ainsi, monsieur de Vigier a été assassiné hier soir, et personne ne m'a prévenu, pas une ligne, pas un mot.

– Pardonnez-moi de vous contredire : à mon avis il n'est pas mort hier soir, mais dans la nuit de dimanche à lundi.

Amusé, le lieutenant observa Dieudonné comme s'il eût été une bête de foire :

– Tiens ! Seriez-vous magicien, Danglet ? Vous découvrez un homme baignant dans son sang et vous le jugez, par on ne sait quelle déduction savante, égorgé de la veille. Vous moquez-vous ?

– Je n'oserais vous offenser, monsieur, aussi ai-je mes raisons d'affirmer, et non de penser, que monsieur de Vigier a été tué bien avant que je ne le découvre, dans des conditions que je peux vous décrire.

La Reynie hésita entre se fâcher et se moquer du présomptueux :

– Lesquelles, je vous prie ? Voilà une proposition qui me paraît fort audacieuse.

Pour la première fois, et sans savoir qu'il recommencerait souvent pendant de nombreuses années, Dieudonné ne désarma pas :

– Avant tout, sachez qu'une fois mes cent livres envolées, j'ai dû exercer vingt petits métiers pour me nourrir et me loger. Au nombre de ceux-ci figure l'emploi de garçon de salle à l'hôtel-Dieu où l'on m'a confié la charge des cadavres. On ne se presse guère pour ce poste, son avantage est, pour ceux qui l'acceptent, de n'avoir pas trop à en dire sur leur passé, les médecins sont si contents de trouver des volontaires qu'ils ne leur demandent rien. Cela m'arrangeait plutôt.

– Je m'en doute, et après ?

– Durant les six mois que j'ai passés à l'hôpital, j'ai lavé des centaines de morts, j'ai entendu et retenu les propos savants des docteurs. Par réflexe intellectuel, j'ai tenu à transformer ma macabre corvée en apprentissage ; c'est ainsi que je me suis perfectionné en anatomie et que j'ai appris à distinguer les diverses causes qui nous entraînent vers le trépas. Le sang m'est matière familière ; celui du procureur était froid, gluant, c'est-à-dire celui d'un être mort depuis plusieurs heures ; de plus, la marque du coup fatal qu'il a reçu sur le crâne était dure. Or sur un cadavre, il faut compter une journée pour qu'une cicatrice prenne cet aspect. Enfin, pardonnez-moi, mais le corps puait, les viscères s'étaient relâchés... Ce qui prouve que la victime avait bien été occise la veille, quoi que l'on veuille nous faire croire... Dans un théâtre grotesque.

Décidément, ce garçon le surprenait. La Reynie l'invita à poursuivre, séduit par la pertinence de son analyse :

– Et, bien entendu, vous êtes capable de me décrire la scène ?

Dieudonné opina :

– Voyez-vous, monsieur, la perruque de monsieur de Vigier le couvrait quand je l'ai examiné. Il est donc impossible qu'il ait reçu le coup qui l'a tué avec cet artifice sur la tête, sinon ses cheveux postiches auraient souffert d'un trou en leur milieu couvert de sang. Or, cette perruque était intacte, à peine souillée à l'intérieur, donc posée bien longtemps après que le forfait eut été accompli. Comment interpréter alors ces indices inattaquables ? Cartésien, pourtant : monsieur de Vigier travaillait dans l'intimité de son cabinet, à l'aise, débarrassé de sa perruque encombrante. Le meurtrier est entré, l'a surpris, l'a frappé mortellement. Quelqu'un – un complice –, longtemps après, a eu l'idée de lui remettre sa perruque. Dans quel but ? Sans doute d'un geste machinal, ou mal à l'aise à la vue du sang. Une femme, peut-être : madame de Vigier, pourquoi pas ? Une chose est sûre, ce second intervenant appartient à l'hôtel, je n'imagine pas qu'un assassin revienne après, sur le lieu de son crime, pour accomplir un tel geste.

Dieu que le cerveau du lieutenant de police s'enflammait ! Ce garçon était brillant, quel gâchis que le laisser partir pour l'armée ! S'il tenait à se battre, une guerre s'offrait à lui, celle de la justice contre la cagnardise, La Reynie avait besoin de gens de son acabit pour la gagner. Mais comment le garder près de lui ? Dieudonné n'avait pas fait son droit et aucune charge de commissaire n'était à vendre. Eût-il encore fallu qu'il possédât l'argent pour en acheter une, car il était inenvisageable de lui prêter la somme par crainte des ragots. Le serpent se mordait la queue, il fallait trancher :

– Danglet, je vais vous proposer un marché convenable.

– Je vous écoute, monsieur.

– Soit ! Je vous libère, mais à la condition que vous ne quittiez pas Paris. J'aurai très certainement une sorte de « contrat », c'est le mot, à vous proposer bientôt. En attendant, je vais vous écrire un billet pour mon maître d'hôtel afin qu'il vous accueille pour cette nuit. Nous nous retrouverons demain matin, chez moi, pour prendre une décision quant à votre avenir.

Dieudonné, confus, n'en revenait pas :

– Je ne sais que dire… comment vous remercier…

– Moi, j'en ai une idée précise. Auparavant, je dois me rendre à Saint-Germain, il y a liasse, ce soir, chez le roi… Vous savez ce que c'est ?

– Oui, une séance de travail qui traite de sujets qui ne relèvent pas précisément du conseil d'État.

– Et qui réunit des experts que Sa Majesté consulte sur le fond. Et aujourd'hui, le roi désire recueillir mes premières impressions sur la police de Paris. Ma présence est requise, je rentrerai tard dans la nuit.

Sur ce, La Reynie rédigea une note rapide pour sa maison qu'il remit à Dieudonné :

– Vous trouverez mon adresse inscrite sur ce papier.

– Mais pourquoi tant de bienfaits, monsieur ? Je m'obstine à mal comprendre ce qui m'arrive.

– Je n'agis pas pour mon compte, mais pour celui d'un ami… Un jour, peut-être, vous expliquerai-je tout. Nous verrons.

Il raccompagna Dieudonné dans le couloir où le commis se redressa aussitôt dans une espèce de garde-à-vous.

– Monsieur Danglet est libre. Qu'on le laisse repartir.

Un tantet gêné, Dieudonné tournait autour du pot :

– Puis-je me permettre un dernier souhait ?

– Je vous écoute.

– Voilà : on ne m'a pas rendu ma bourse, celle du Grand Coësre.

Le lieutenant de police, rouge de colère, fila dans la salle du guet. Il en revint quelques instants après avec l'argent dans son sac en cuir :

– Tenez ! C'était un « oubli », m'a-t-on confié… Avec les excuses du guet…

**
*

En fin d'après-midi, monsieur de La Reynie se fit conduire à Saint-Germain-en-Laye.

Les quatre chevaux de son équipage l'amenèrent à Saint-Germain à l'heure du souper, bien avant la liasse. Les nombreuses patrouilles, conduites par des officiers que le service du roi rendait arrogants au-delà de l'entendement, le laissèrent passer sans jamais l'arrêter. Monsieur de La Reynie était connu de tous. Il en fut de même au poste de la garde du roi dont les effectifs assuraient la sécurité du Château Vieux où séjournait Sa Majesté. Sans cesse en travaux, Louis le préférait au Château Neuf, sans que l'on sût pourquoi. Il affectionnait son mélange de pierre et de brique d'une technique et d'un goût nouveaux. Mais le sens architectural de Louis était hors norme, et les Perrault et Le Vau avaient affaire à forte partie. Monsieur Colbert s'arrachait les cheveux depuis que le monarque lui avait fait part de ses projets pour Versailles. Des idées grandioses, des transformations gigantesques, une réalisation tant complexe que pharaonique avaient germé dans son esprit pour faire de Versailles un monument digne de sa gloire et de celle de la France. Versailles ! Un cauchemar pour monsieur Colbert, intendant des bâtiments, qui se confiait à qui voulait l'entendre : « Un maudit marécage, insalubre, dont l'éloignement de tout ne pouvait que nuire à l'éclat du prince. » Partisan de Paris, Colbert dépensait d'énormes sommes pour l'embellissement du Louvre et des Tuileries, « le plus beau palais du monde, pour le plus grand roi du monde ».

Dans la foule, ce fut lui, justement, que La Reynie rencontra en descendant de son carrosse. Le ministre prenait le frais dans le soir, escorté d'Antoine Vallot, premier médecin du roi dont on entendait les recommandations de loin :

– Des gargarismes à la réglisse, monsieur le ministre ! Vous ne guérirez que par leurs vertus bienfaisantes !

– Je sais, je sais, mais je n'ai pas de temps à leur consacrer.

Colbert marchait, toussant et crachant fort, la voix éraillée. L'arrivée de La Reynie le combla d'aise ; il allait pouvoir échapper aux injonctions de l'archiatre :

– Monsieur le lieutenant de police ! Avez-vous fait bonne route ?

– Excellente, monsieur le ministre, et à vous ouïr, elle était bien meilleure que votre santé.

– Des gargarismes ! s'entêta le vieux Vallot.

Colbert s'énerva un peu plus que d'habitude :

– Ah ! Ne me parlez plus de cette toux chronique, elle va et vient depuis l'automne. Mon avis est que je ne supporte pas la campagne. Dès que je quitte Paris, ça recommence. Ah, mais pourquoi le roi ne séjourne-t-il plus dans sa capitale ? Il n'y fait que de brèves stations, et pourtant il y serait plus à l'aise. Regardez la petitesse de ces murs, les prit-il à témoin, nous y sommes entassés, je loge au rez-de-chaussée, presque en dessous de la chambre royale ! Ne serions-nous pas mieux au Louvre ? Quand je pense qu'il vient de mettre un terme au projet de monsieur le Cavalier Bernin pour la façade orientale, je vous demande un peu ce que va devenir ce magnifique palais ?

– « *Nil sine te* », se plut à citer le lieutenant avec diplomatie.

– « Rien sans toi », traduisit le ministre, non sans une pointe de soumission dans la voix.

La Reynie avait cité la devise de Louis, manière habile d'échapper à la réponse qu'attendait Colbert. Tout était dit dans ces trois mots de latin qui rappelaient que rien ne pouvait se faire sans sa volonté, dans une monarchie dont il était la force centripète absolue.

Colbert, songeur, sa barrière de sourcils froncée, tint néanmoins à conclure à son avantage :

103

– Plus j'y réfléchis, et moins j'y crois : Versailles ne se fera pas. Je n'ose vous avouer ce que Mansart, Le Nôtre et autres artistes ont déjà coûté à la couronne pour transformer ce modeste pavillon de chasse en un semblant de château ! Alors, face aux dépenses somptuaires que réclament les futurs embellissements, je suis persuadé que Sa Majesté renoncera avec bon sens.

L'assemblée se tut, par respect, bien entendu, mais surtout pour ne pas désillusionner le ministre, amoureux de Paris, car chacun savait que le roi allait toujours au bout de ses rêves les plus fous. Et dans ce cas, il ne s'agissait pas d'un caprice, mais d'un acte politique sans précédent : Louis XIV employait les arts et les artistes pour servir une invention personnelle : la grandeur de la France !

Dans ces échanges, La Reynie avait remarqué les reprises de voix de Colbert, et ces raclements lui déplaisaient fort. Depuis des mois, il n'y avait pas prêté attention, mais après les révélations de Dieudonné, il savait qu'il devait soupçonner chaque grand personnage du royaume d'être la tête du complot en cours… Il ne pouvait s'empêcher, malgré lui, de compter son protecteur au nombre des suspects. Comme il détestait cette pensée ! Il se surprenait à se haïr.

Un autre homme vint élargir le cercle de ceux qu'il devrait surveiller en la personne du président du Parlement. En effet, monsieur de Lamoignon les rejoignit, un mouchoir à la main. Lagny ne faisait-il pas partie de ses intimes ? Les salutations d'usage faites, il s'éclaircit la voix :

– Monsieur le ministre, je vous félicite : depuis hier, notre pays possède une justice digne de ce nom, et nul n'ignore que vous avez été l'un des artisans de cette réforme heureuse.

Quel jésuitisme ! Dans cette affaire, les vues de Pussort – oncle de Colbert – avaient prévalu contre celles de Lamoignon. Mais la Cour avait ses règles, on oubliait les querelles.

– Saluée par vous, monsieur le président, cette ordonnance reçoit plus qu'un hommage, elle reçoit ses lettres de créance.

Le roi, la veille, avait signé la fameuse ordonnance sur la réforme de la justice qui faisait table rase des particularismes régionaux en matière légale ; il n'y avait désormais qu'un seul et unique droit aux quatre points cardinaux du royaume. Cet événement alertait l'intérêt des robins venus en procession à Saint-Germain pour tâter le terrain : ce bouleversement ne donnerait-il pas matière à saisir quelques beaux postes ? Lamoignon, comme les autres, avait des parents à placer. Il reforça sur ses cordes vocales pour contraindre son enrouement à le laisser parler clairement :

– Pardonnez-moi, un méchant et tenace rhume des foins...

– Je connais, compatit Colbert.

– Gargarismes ! gargarismes ! s'enfiévra Vallot.

– Savez-vous, continua Lamoignon sans écouter le médecin, que l'on cause fort de votre projet de renforcement des barrières douanières ?

– Considérez-le comme déjà signé par le roi, ce n'est plus un secret d'État. Nous acculerons les Hollandais à la ruine s'ils s'obstinent dans leur volonté de nuire à nos manufactures ! Qu'ils prennent pour exemple la punition que nous allons infliger à l'Espagne !

La guerre, proche, attirait également au Château Vieux tous les gentilshommes en volonté de servir... mais avec des fonctions militaires à la hauteur de leur naissance. Nombreux étaient ces messieurs qui venaient s'y faire remarquer dans le but d'obtenir un commandement. De partout il en arrivait, fringants, perruqués, poudrés, s'abîmant dans des révérences à répétition : il ne fallait rien négliger, rendre mille grâces à mille personnes, l'une d'elles aurait bien la faveur de diriger l'armée et se souviendrait de vous.

En apparence, monsieur le duc de Chevreuse, que l'on disait fort capable au feu, aurait dû être exempté de cette pratique qui consistait à implorer qu'on veuille bien de votre carcasse pour aller la faire mourir. C'était mal apprécier la mémoire du roi, car bien que gendre de Colbert, monsieur de Chevreuse était avant tout un petit-fils ! Et pour qui cherche à se souvenir, madame de Chevreuse avait été une grande, une dangereuse frondeuse, péché mortel aux yeux de Louis qui persistait à se méfier d'elle et de toute sa famille. C'est pourquoi le duc devait, comme tout autre, venir faire sa cour à Saint-Germain. La Reynie le vit ainsi s'avancer vers eux. Il salua bien bas son beau-père, qui s'empourpra à l'appeler « monsieur mon fils », et les dignitaires présents. Il tenait nonchalamment une tabatière en ivoire qu'il ouvrit :

– Qui parmi vous, messieurs, désire un peu d'herbe à la Reine ?

– Moi, s'empressa Vallot, la nicotiane est excellente pour les bronches.

– « Qui vit sans tabac n'est pas digne de vivre », déclama La Reynie en acceptant une prise, c'est de Molière, dans *Dom Juan*.

Le front de Colbert se plissa brutalement :

– Cette pièce a été interdite ! Comment en connaissez-vous le texte ?

– De la manière la plus simple, plaisanta le lieutenant, parce que je dirige la police, et qu'à ce titre il me faut tout savoir.

La repartie eut l'heur de plaire au ministre, au contraire de Lamoignon qui détestait publiquement Molière. Le duc, dévot manifeste et donc ennemi, lui aussi, de l'auteur-comédien, faillit se mettre en colère. Pour l'éviter, il reprit sa tabatière, renifla un bon content de pétun. L'effet qu'il produisit sur son organisme alerta La Reynie ; au lieu de tousser, Chevreuse se racla la gorge. Il constata par ailleurs qu'il ne rangeait pas l'objet, en homme habitué à priser davantage qu'il ne l'était permis pour calmer son incessante nervosité. Cette remarque l'amusa, l'esprit d'observation de Danglet déteignait sur le sien. Il devait arrêter de soupçonner chaque tousseur qu'il croisait.

Colbert avait remarqué la grimace de dégoût de Lamoignon :

— Vous n'aimez décidément pas le père de *Tartuffe* ?

— Ni lui, ni les poètes inutiles. Ils n'ont que le dessein de corrompre les esprits, ils insultent Dieu à vivre dans la dépravation.

Colbert voulut défendre Poquelin. Mais sa démonstration versa peu à peu dans le sens contraire ; violent était son combat intérieur qui opposait le ministre acharné à servir la gloire du monarque et l'intendant soucieux des deniers du royaume :

— Molière est intouchable, Sa Majesté en a fait son ami.

— Elle pourrait en choisir de meilleurs que le fils d'un petit marchand de tapis, persifla Chevreuse qui oubliait que Colbert avait pour père un marchand de drap rémois failli, origine qu'il dissimulait en prétendant descendre d'un noble écossais.

— Que vous le vouliez ou non, la politique du roi se résume en un mot : le prestige ! s'emporta Colbert. Il veut que la France soit auréolée par les arts, qu'on l'envie d'accueillir les talents ! Dans son esprit, ce projet est aussi important que la création d'une marine... Mais il est vrai qu'il n'y en aura bientôt plus que pour les artistes ! Sa Majesté considère qu'ils comptent davantage pour notre puissance et notre rayonnement que dix mille navires réunis. À l'entendre, un vaisseau coulé se remplace, pas un poète !

– Comme vous y allez, ironisa Lamoignon.

– Je n'exagère pas ! Nous pensionnons à tour de bras ! Ne serait-ce que l'année dernière, nous avons versé quatre-vingt-quinze mille francs à soixante-douze écrivains, dont certains ne sont même pas français. Les Chapelain, les Corneille, les Racine, les Molière nous coûtent des fortunes !

– Molière ! s'indigna à nouveau Lamoignon, la seule pension que mérite cet infâme a pour nom la Bastille ! Il insulte la religion dans ses écrits, il commet l'inceste avec la chair de sa chair. Quelle pitié !

– Tout doux, le modéra Colbert, Armande Béjart n'est pas sa fille.

Chevreuse s'engouffra dans la polémique :

– Et Racine ? Accorder des subsides à ce traître qui crache sur ses bienfaiteurs, quelle honte ! À la mort de ses parents, il a eu la chance de trouver refuge à Port-Royal, chez les seuls chrétiens qui enseignaient la vérité. Et qu'a-t-il fait de leur instruction ? Des vers ! Pour une ribaude de théâtre, Marquise Du Parc. Il se complaît dans le stupre avec cette traînée, il bafoue sa famille spirituelle !... En d'autres temps, on l'aurait brûlé...

Vallot, peu au fait de ces querelles, de par sa méconnaissance de leur fondement, s'égara à demander :

– J'ai trouvé bizarre, monsieur le ministre, que La Fontaine ne figurât pas dans la liste des heureux pensionnés. Pourquoi cela ?

L'irascible Colbert s'emporta sans retenue :

– Le chantre de Fouquet ! Il ne manquerait plus que cela ! Qu'il apprenne d'abord à gérer correctement ses bois et forêts !

– Et qu'il cesse sa production de livres licencieux, amas de perversités et de miasmes de l'esprit ! ajouta le duc, hors de lui. Ce coquin plaît au peuple, grand bien lui fasse ; il devrait se soucier de plaire à son Créateur plutôt qu'à une populace subversive.

– Calmez-vous, monsieur mon fils, calmez-vous, la colère est une mauvaise amante, lui conseilla son beau-père.

Et du coup, chacun se tut sur ce chapitre…

La suite de la conversation courut sur les préparatifs de monsieur de Turenne, sur la possibilité pour Condé de prendre un commandement. Colbert, prudent, resta évasif. Il consulta sa montre :

– Bien, messieurs, ma récréation est presque terminée, le service du roi m'attend. Deux ou trois ultimes pas de détente, et je retourne travailler.

Ils se quittèrent au bord du jardin. Dans la pénombre, La Reynie s'en alla seul vers le château, les autres prirent la direction opposée. Il atteignit le perron en quelques enjambées, obsédé par ces gorges irritées. Une coïncidence, certainement…

Il entra, salua au passage l'énorme monsieur Louvois en conversation avec son père et néanmoins associé, monsieur Le Tellier, secrétaire d'État à la guerre. Il se brisa le dos dans une ample révérence lorsque mademoiselle de Lavallière, le ventre arrondi par une nouvelle grossesse, passa devant lui en boitant. Même contrariée par une infirmité du pied, la maîtresse du roi restait l'image de la beauté. Des plans sous les bras, le capitaine de Vauban lui adressa un rapide salut, pressé à son habitude. Il croisa ainsi quantité de gens connus ou inconnus, et c'est presque machinalement qu'il se retourna sur l'un d'eux qui sortait à la hâte. L'homme, grand et maigre, avait sur le visage une longue cicatrice, et surtout, il portait des bottes rouges ! La Reynie fit demi-tour, tenta de le rejoindre, mais la foule des courtisans et des militaires gêna son empressement. Il vit l'homme s'en aller dans la nuit vers le jardin, à grands pas rapides. À

109

moins maintenant de courir, à la surprise de tout ce monde qui en aurait ri, il lui était impossible de le rattraper. Et même, se dit-il, pour quelle raison l'interpeller ? Pour quel motif ? Que demander à cet inconnu ? L'entreprise était ridicule. À la déception de ne pouvoir découvrir son identité se greffa un doute affreux : l'homme se dirigeait vers l'avenue des Loges par où étaient partis Colbert, Lamoignon et Chevreuse. Allait-il rejoindre l'un de ces hauts personnages ? Hélas, pas question d'y aller voir, l'heure de la liasse allait sonner, le roi attendait. La Reynie s'adressa à un capitaine des mousquetaires noirs :

– Cet homme, là-bas, avec des bottes rouges, vous le connaissez ?

– Non, monsieur le lieutenant de police, lui répondit l'officier avec tout l'accent de sa Gascogne, je ne sais même pas qui il accompagnait ; mais pour être entré ici, il devait forcément servir un de ces messieurs.

La Reynie le remercia et se dirigea vers la salle du Conseil en réfléchissant, mais en pure perte. Pour découvrir le nom de l'homme aux bottes rouges, il lui fallait interroger tous les gardes, tous les commis, et il n'oubliait pas qu'il se trouvait dans la demeure royale où une telle enquête provoquerait une émeute. Il n'excluait pas non plus la possibilité que plusieurs individus affectassent de porter des bottes de cette couleur. En conséquence de quoi, il s'en remit à un deuxième coup du hasard qui voudrait bien lui faire recroiser cet homme.

Sans se presser, il quitta la loggia d'où il avait vu l'ombre de l'inconnu s'évanouir pour se diriger vers la salle de réunion. Il traversa les pièces à l'architecture délicate, aux murs chargés du « F » de François Ier et de la salamandre de Louis XII, amants possessifs de ces lieux qu'ils avaient par trop aimés. Ses pas l'amenèrent devant la salle où se déroulait habituellement la liasse. Il échangea des politesses avec

110

les secrétaires du roi, attendit son bon vouloir. En fait, sa légère avance sur l'horaire n'était pas innocente ; La Reynie souhaitait s'entretenir en tête à tête avec Sa Majesté, et bien que sa démarche frisât l'audace, elle n'était pas sans un espoir fondé. Le roi acceptait parfois de rencontrer ses collaborateurs dans l'intimité. Encore fallait-il dans son cas que l'entreprise soit discrète pour ne point vexer monsieur Colbert. La chance lui accorda enfin ses faveurs − elle lui devait bien cela en échange de l'épisode malheureux de l'homme aux bottes rouges ; un mouvement se produisit qui alerta la compagnie ; il vit les commis vérifier l'ordre de leur mise, les militaires se redresser un peu plus et les dames s'assurer du bon état de leur coiffure. Pas de doute, Sa Majesté arrivait. Garde-à-vous et révérences soulignèrent son passage. Louis marchait avec solennité, tout son comportement était étudié pour impressionner sa Cour, jusqu'à l'ample geste du bras pour la saluer qui faisait balancer avec grâce les bouclettes de ruban « à la petite oie » de sa chemise bouffante. Son pourpoint brodé d'or et d'argent mettait en valeur sa taille bien faite, son large chapeau couronnait un visage encore beau malgré la petite vérole qui l'avait entamé. Le roi s'arrêta devant le lieutenant de police courbé avec déférence devant lui :

− Bonsoir, monsieur de La Reynie, je me réjouis de vous voir.

− Votre Majesté me flatte.

− Je dis vrai, monsieur, par avance fort aise de savoir comment se met en place ma police à Paris.

La Reynie prit son courage à deux mains, respira profondément :

− Votre Majesté, j'ose vous présenter une requête personnelle.

− Tiens, vous y mettriez-vous ? se moqua le monarque. De quoi s'agit-il ?

– D'un conseil que je souhaite obtenir de Votre Majesté. Je suis le gardien d'un lourd secret que je ne peux partager devant Dieu qu'avec mon confesseur, et, devant les hommes, qu'avec le roi de France.

Venant de La Reynie, ces propos touchèrent la corde sensible du roi, père de tous ses sujets. Son lieutenant de police n'était pas homme à le déranger pour rien, et le strict habillage de sa demande rejetait la fantaisie d'un placet.

– Entendu, monsieur de La Reynie, suivez-moi.

– Je remercie Votre Majesté de sa confiance.

Les deux hommes s'isolèrent dans une pièce après que Louis eut prié son entourage qu'on le laissât seul avec le lieutenant.

– Bien, monsieur de La Reynie, je vous écoute.

– Sire, permettez-moi de commencer par la fin de mon récit en vous parlant d'un jeune homme : Dieudonné Danglet…

C'est au petit matin que La Reynie rentra chez lui, rue Quincampoix. Il dormit en partie dans son carrosse sur la route du retour, comme il le put, ballotté à qui mieux mieux. Aussitôt arrivé, il s'écroula sur son lit, à peine déshabillé, pour profiter d'une petite heure de sommeil. Son maître d'hôtel le réveilla à six heures en le secouant :

– Monsieur… monsieur !

– Comment ? Déjà ! maugréa-t-il.

– J'en ai peur, monsieur, mais vos ordres sont formels : ne jamais vous laisser dormir au-delà de l'horaire convenu, quoi qu'il se passe.

La Reynie secoua la tête, se précipita sur un broc d'eau qu'il se versa sur la nuque. L'effet fut immédiat :

– Brr ! le procédé est horrible, mais je n'en ai pas trouvé de plus efficace… Le roi serait bien inspiré de prévoir la liasse le matin ou le midi, nous y gagnerions en repos et en clarté d'esprit pour travailler.

Il s'essuya, fit une halte nécessaire sur sa chaise avant de changer de vêtements, aidé de son serviteur.

– Le jeune monsieur que vous nous avez envoyé hier…

– Ah, oui ! Danglet. Eh bien ?

– Il est déjà debout, monsieur, il vous attend dans la salle à manger.

– Bon, je vais le rejoindre.

Il remit sa perruque et corrigea sa tenue avec une pensée heureuse : Danglet n'avait pas fui, il était au rendez-vous, en homme d'honneur respectueux de sa parole. Événement à marquer d'une pierre blanche, La Reynie accorda un sourire à son miroir. Ainsi prêt, il descendit sans se presser, jusqu'à la grande salle où Danglet l'attendait en lisant.

– Alors, mon jeune ami, avez-vous bien dormi ?

– Comme un enfant ; je vous suis reconnaissant de votre hospitalité.

– Faites-moi plaisir, oubliez les remerciements. Avez-vous faim ?

– Comme un lion qui se lève.

– Et qui a vingt ans ; je sais ce que cela signifie, je ne cessais de dévorer à votre âge.

D'un signe, La Reynie commanda qu'on les serve et apparurent sur la table, comme par magie, du bouillon, des rôtis, du pain chaud, des pâtés, des petits gâteaux, un jus noir fumant que Dieudonné observa avec circonspection.

– Du cahouet, indiqua La Reynie. J'ai découvert son goût amer il y a cinq ans chez Jean Thévenot. C'est une médication qui permet de résister à la fatigue, les musulmans en boivent afin de rester éveillés pour la prière du soir. Voulez-vous essayer ?

Dieudonné accepta, toute nouveauté le tentait.

– J'en achète dans les foires chez des Arméniens de passage.

Tout en lui servant une tasse, La Reynie jeta un coup d'œil à la lecture de son invité :

– Tiens donc : *Le Journal des Sçavans*, vous vous intéressez à la science ?

– Comme un fou, monsieur, aux arts et aux lettres pareillement. Chaque fois qu'il m'est possible de me l'offrir, j'achète ce journal. J'avoue que la bourse du Grand Coësre me l'a permis.

L'évocation du roi des gueux mit la conversation sur la route que le lieutenant de police voulait lui faire prendre :

– Hier soir, au cours de la liasse, alors que le propos était engagé sur divers sujets qui intéressaient le roi, j'ai subi ce que je considère comme un affront. La manœuvre allait dans ce sens pour porter le discrédit sur ma police.

– Pour que vous me confiiez cet incident, c'est qu'il doit s'agir d'une attaque en rapport avec notre affaire.

– Perspicace, Danglet, vous comprenez tout. Voilà… Alors que nous passions en revue les formes de criminalité et la manière de les combattre, une fois de plus dans un désaccord général sur les méthodes, monsieur de Lamoignon m'a demandé mes premières conclusions sur le meurtre de monsieur de Vigier. En fait, il a tourné sa phrase comme si j'étais déjà au courant, a joué les étonnés, puis les offusqués, d'apprendre qu'aucune procédure officielle ne m'avait saisi de l'enquête.

– Habile ! Il jetait l'huile sur un feu qu'il allumait lui-même.

– C'eût pu être grave si je n'en avais, au préalable, touché deux mots à Sa Majesté qui a feint d'ignorer l'événement. Mais je ne pourrai indéfiniment lui parler en privé, elle m'a confié ce poste pour que je prenne les problèmes à bras-lecorps, et non pour que je lui demande son aide pour les résoudre au moindre accroc.

– Et quelle a été la raison invoquée qui justifiait que monsieur de Lamoignon soit au courant de ce crime et pas vous ?

– Toujours ces sacrées attributions de compétence. Madame de Vigier aurait prévenu le guet, lequel aurait alerté la police du Parlement en raison de la qualité de magistrat de la victime.

– Et ce même guet appartient au Châtelet, bien entendu ?

– Exactement… Et personne ne m'a adressé de rapport ! À croire qu'aucun sergent n'a lu ma sentence du 5 avril ; elle était pourtant limpide : le guet est placé sous l'autorité des commissaires à qui il doit rendre compte de tout. Mais je vous jure que ce petit monde va très vite se plier à mes décisions, ou gare !

Irrité, La Reynie porta nerveusement le cahouet à ses lèvres, Dieudonné de même dans un grand concours de grimaces une fois qu'il eut avalé la première gorgée.

– Bien sûr, monsieur de Lamoignon a eu beau jeu de démontrer la lenteur avec laquelle circule l'information. Comme beaucoup, et bien qu'il se garde de l'avouer en public, cette réforme lui déplaît, il milite dans le parti de ceux pour qui « la meilleure police de Paris est de n'en point avoir [1] ».

– Il est donc de vos ennemis ?

– Sans aucun doute ; d'autant que je l'avais rencontré en compagnie de monsieur Colbert et que nous avions eu une conversation au cours de laquelle il ne m'a rien dit de ce crime. Et pourtant, le meurtre d'un de ses magistrats devrait activer son empressement à ce que l'on s'en occupe.

1. Phrase rapportée par La Reynie dans un mémoire.

– Étonnant, pour le moins.

– N'est-ce pas ? Mais cette soirée n'a cessé de m'inquiéter sur le compte des gens et les rencontres furent surprenantes. Écoutez plutôt…

Et La Reynie raconta les péripéties de Saint-Germain, l'enrouement des dignitaires qui semait le doute dans son esprit, la rencontre avec l'homme aux bottes rouges, le départ de celui-ci vers l'avenue des Loges où il avait quitté les trois hauts personnages.

Dieudonné écouta attentivement avant de réclamer la parole :

– Messieurs de Lamoignon et de Chevreuse sont des dévots affichés, tout Paris le sait. Certes, on peut les suspecter, mais il en va autrement de monsieur Colbert qui doit sa fortune du roi. Il est, à ce que je sais, animé de sentiments religieux très modérés.

Cette remarque rassura La Reynie qui, toutefois, par jeu et non par conviction, se voulut l'avocat du diable :

– Mais il fréquente les Jésuites, il fut sur leurs bancs. Et je garde en mémoire qu'on a toujours soupçonné les grands chapeaux d'avoir armé la main de Ravaillac, avec la complicité induite du pape.

– Accusations sans preuves. Dix-sept assassins, avant lui, avaient tenté de tuer Henri IV, leur interrogatoire aurait, à force, fait éclater la vérité. Je n'y crois pas, pas plus qu'à l'ahurissante participation d'un ministre de Sa Majesté dans un attentat contre des intérêts militaires.

– Un fort de plus ou de moins, qu'est-ce pour servir une ambition ? Il manque le secrétariat de la guerre à Colbert pour gouverner seul.

– Oui, mais que coûterait sa destruction ! Lui, si avare des deniers de l'État, le voyez-vous comploter à grands frais ?

116

C'était un matin à pleuvoir des grenouilles, car La Reynie fut prit d'un rire libérateur :

– Vous avez cent fois raison ! Cessons cet exercice, nous devenons stupides, il y a tant de gens malades à cette époque de l'année.

– Le mois d'avril est fort propice au maux de gorge, et soupçonner ceux qui crachotent ou se promènent un mouchoir à la main, c'est douter de la moitié des sujets du royaume.

L'instant d'après, le lieutenant reprit son air sévère :

– Il n'empêche que l'homme aux bottes rouges courait vers eux.

– N'affirmons rien à la hâte, il se peut que ce ne soit point celui que nous cherchons et rien ne nous prouve qu'il rejoignait l'un de ces messieurs.

– Et dire que je l'ai tenu de près, vu et bien vu !

Dieudonné se leva d'un bond :

– Avez-vous gardé ses traits en mémoire ?

– Comme s'il était là, face à moi, assis à cette table.

– Dieu est donc avec nous ! s'exclama Dieudonné en fouillant avec fièvre dans sa besace.

– Serait-ce trop de vous demander ce que vous faites ?

Le jeune homme sortit son carnet de notes et un crayon :

– Un portrait ! Celui de Bottes rouges.

– Comment cela ?

– J'ai pris quelques cours qui m'ont persuadé que je ne serai jamais un artiste, mais le ciel m'a accordé assez de don pour dessiner un visage.

Abasourdi, La Reynie répondit aux questions brèves de Danglet venu s'asseoir à côté de lui :

– Alors, ce visage : rond, allongé, ovale, régulier, maigre, plein ?

– Hum !... plutôt émacié, avec des pommettes saillantes au-dessus de joues creuses.

– Comme ceci ? demanda Dieudonné en esquissant un premier contour.

– Les joues un peu moins proéminentes.

Dieudonné crayonnait à toute allure :

– Le front : haut, large, bombé, fuyant ?

– Plat, il me semble… Oui, comme ceci.

– Le nez : aquilin, écrasé, retroussé ?

– Fin et légèrement crochu… Non, presque un bec d'aigle… Et il me revient que les orbites de ses yeux étaient creusées ; notez aussi un menton en galoche et une cicatrice qui part de l'oreille droite pour finir sa course à la commissure des lèvres.

Et ainsi fait, ils détaillèrent les accidents de la mâchoire, la coupe des cheveux, la particularité du cou, l'épaisseur des cils et des sourcils pour conclure sur un portrait que La Reynie jugea proche du sujet :

– Merveilleux ! Il suffirait de l'imprimer pour le diffuser à ma police ; la recherche de cet inconnu en serait grandement facilitée.

– En attendant, je vais en reproduire quelques copies.

Le lieutenant de police se leva en proie à une intense agitation de l'esprit. L'initiative de Dieudonné confirmait son opinion sur le jeune homme, il le lui fallait dans sa police, mais à un poste très particulier :

– Danglet, je vous ai promis, hier, de vous proposer une sorte de contrat.

– J'entends bien : « une sorte », monsieur ?

– Très clairement. Je veux vous engager dans ma police, mais comment préciser la chose ? Appelons cela une « police parallèle », non officielle, discrète et pas vraiment reconnue par les institutions.

– Une police illégale ? s'amusa à le reprendre Dieudonné.

– Totalement illégale, oui… Je vous offre d'être de toutes les polices à vous tout seul, sous mon contrôle secret et direct.

Dieudonné s'inquiéta du tour malgré la confiance qu'il portait à son bienfaiteur :

– Et dans quel but, cette illégalité ?

– Dans celui de poursuivre le crime là où nos règles d'un féodalisme dépassé le protègent. Dans notre pays, la justice meurt du droit !

Animé d'une rage froide, le lieutenant de police énuméra la liste des baillis, prévôts, autres lieutenants et chevaliers du guet qui se partageaient la sécurité de Paris. Il rappela le tour de passe-passe juridique qu'il avait fallu que Colbert utilise pour asseoir son autorité.

– Pour prendre un cas précis, Danglet, voyons notre affaire de près : si l'homme aux bottes rouges est pris sur les berges de la Seine, il appartient de droit au prévôt de Paris de le juger. Si je veux en savoir davantage sur les voyages de madame de Vigier à Saint-Denis, je ne le peux : il est du ressort du prévôt de l'Île d'assurer la police des faubourgs et des routes, la nuit de préférence, mais il dispose de sept brigades qui n'aimeraient pas voir mes gens marcher dans leur jardin, même le jour. Je dirige une minorité de prévaricateurs et de fainéants qui, par leurs statuts, empêchent la réformation entreprise. Je dois me battre sur tous les fronts, or je n'ai pas le temps de m'embarrasser des humeurs de la magistrature si je veux réussir à nettoyer la capitale.

Dieudonné suivait avec attention le discours de son hôte ; peu à peu, il comprenait où il voulait en venir.

– Pour conclure, Danglet, je vous propose de devenir le père Joseph [1] de ma police, d'agir dans l'ombre, sans reconnaissance officielle, d'enquêter là où il m'est interdit

1. L'homme des missions secrètes du cardinal de Richelieu.

d'agir, mais pour la gloire du roi et pour que justice soit partout rendue.

L'esprit de Dieudonné était gagné d'un étrange sentiment ; avait-il le choix, pouvait-il refuser, et pourquoi La Reynie le désignait-il, lui, et pas un autre ? Il posa la question.

— Je ne vous cache pas, répondit le lieutenant, que j'ai rendu visite à l'Oratoire, hier. On m'a dit le plus grand bien sur vous, mais on est toujours fâché de votre mauvais tour. Si nous concluons un accord, le père Grégoire contrôlera son bon fonctionnement, je vous en reparlerai... Maintenant, sachez que je vous choisis pour votre vivacité à comprendre ce que les autres n'entendent pas, pour la tournure peu commune de votre intelligence, pour votre culture, aussi, dont vous savez user avec pratique. Dans la balance, j'ajouterai, enfin, le poids de votre jeunesse et de votre enthousiasme.

La Reynie avait volontairement omis le problème du choix, il refusait de contraindre le jeune homme, il voulait qu'il acceptât de plein gré sans avoir l'impression d'avoir un couteau sous la gorge. Quant au reste, ses motivations restaient son secret et celui du roi qui avait bien voulu le partager.

— Entendu, monsieur, je suis votre homme.

Il fut difficile au lieutenant de police de réprimer un soupir de soulagement. Il y parvint en enchaînant sans attendre :

— Fort bien ! Vous ne manquerez ni d'action, ni d'argent. Vous prendrez vos quartiers à deux pas d'ici, rue aux Ours, dans une maison retirée que nul ne soupçonne d'appartenir à la couronne. C'est là que nous nous verrons désormais. Jamais vous ne devrez vous rendre au Châtelet ou me rencontrer officiellement. Si quoi que ce soit vous arrivait de fâcheux, je nierai vous fréquenter. Pour moi, je ne vous ai approché qu'une fois pour vous relâcher de prison.

– J'entends bien, monsieur.

– Pour être précis, vous avez disparu de ma vue.

– Je l'avais compris.

– Alors, si nous sommes d'accord, vous commencez ce matin. (Après un silence, La Reynie tendit des clés à Dieudonné :) Elles ouvrent les portes de vos quartiers de la rue aux Ours, voulez-vous y aller maintenant ?

– Permettez-moi d'attendre un peu, j'ai un rendez-vous plus urgent.

– Lequel ? demanda le lieutenant, un peu inquiet.

– Je dois rencontrer Charonne sur le Pont-Neuf.

Rassuré, La Reynie laissa un sourire éclairer son visage ; sûr qu'en plus des grenouilles, des crapauds allaient tomber du ciel…

VI

À chacun sa vérité

Revenons un instant sur la nuit qui venait de s'achever. Pendant que monsieur de La Reynie prenait congé du roi et regagnait sa demeure, un homme longeait les murs sans fin de l'hôtel Bouthillier de Chevigny. Affolé, trempé de sueurs froides, il ne cessait de s'arrêter pour s'assurer que personne ne le suivait ; mais à chaque pause il constatait qu'il était seul, ce qui ne le rassurait pas pour autant. L'homme était persuadé que « l'autre » l'épiait, proche, à attendre le moment propice pour se découvrir et fondre sur lui. Pourtant, le fuyard avait du répondant : sa carrure, sa force, son habitude de donner et de recevoir des coups ne lui faisaient pas craindre un corps à corps. Mais là, il voulait éviter l'affrontement, il savait qu'il ne serait pas de taille si « l'autre » parvenait à le rejoindre.

Dans le Marais éteint, il remonta la rue des Égouts, collé à la façade, sans cesse aux aguets, l'oreille tendue. Un bruit ! Fausse alerte, ce n'était qu'un chat à la poursuite d'une souris.

Mais pourquoi, se dit-il, avoir accepté ce rendez-vous en pleine nuit ? C'était inhabituel, hors règle ! Il aurait dû se méfier davantage, voire ne pas se rendre à l'église Saint-Jean-en-Grève où « on » lui avait demandé de venir en secret. Par bonheur, son instinct l'avait alerté ; cette ren-

122

contre dans le minuscule passage sis entre l'église et l'Hôtel de Ville sentait le piège. Il s'était posté plus loin et avait vu « l'autre » arriver. L'hostie miraculeuse des Billettes, vénérée des Parisiens, que l'église gardait saintement, l'avait protégé... Gloire à Elle et loué soit Dieu !

L'homme s'enfuyait donc, la peur au ventre. Son poursuivant, en toute logique, ne pouvait l'avoir aperçu, mais il se méfiait de lui, il connaissait sa réputation, et tout, dans cette pénombre, le faisait sursauter : l'« autre » usait de stratagèmes diaboliques pour coincer ses proies.

Il atteignit l'enceinte du prieuré de Sainte-Catherine du Val des Écoliers avec un certain soulagement ; il se rapprochait de la maison, là où sa sécurité serait assurée. Pourtant, se mit-il à penser, il devait se garder de son occupante, elle savait peut-être tout de ce rendez-vous et ne lui en avait rien dit ! Mais pourquoi ? Ne défendait-il pas la même cause qu'elle avec une abnégation exemplaire ?

Voilà, il arrivait en vue de la rue des Francs-Bourgeois, plus fréquentée que ces rues désertes qu'il empruntait à l'envi, par pure stratégie, certain que « l'autre » ne le chercherait pas dans les dédales de chemins si peu sûrs. Il fallait être fou pour s'enfoncer ici la nuit, surtout poursuivi par un tueur.

Encore quelques pas et le cauchemar cesserait. L'homme décolla sa carcasse des murs gris pour continuer d'un pas allègre en remerciant le ciel et les anges de leur aide. Sauvé dans un instant, moins qu'il n'en fallait pour réciter un *Pater*, sa peur commença à s'estomper...

Sur le moment, il eut l'impression d'avoir manqué une bouffée d'air, un oubli bizarre et malencontreux. La deuxième, qu'il tenta de happer en ouvrant grand la bouche, ne vint pas, pas plus que la troisième. À la quatrième tentative, il sentit la douleur, une brûlure intense, comme une flamme vive qui remontait dans sa poitrine, de l'omoplate jusqu'au cœur. Il vacilla sans comprendre comment le coup était arrivé. Il savait qui le lui avait porté, mais de quelle manière, en surgissant d'où ?

À terre, il était à terre, il vivait ses derniers instants. Prier Jésus, Marie, tous les saints, en aurait-il le temps ? Il partait chargé de tant de péchés, la conscience sale, l'âme lourde du poids d'actions que le Créateur condamnait. Il sentit qu'on le fouillait, « l'autre » glissait un objet dans le pli de ses vêtements. Quelque chose tomba devant son visage écrasé sur le pavé, cela ressemblait à une bourse vide. Il la regarda étonné et hagard ; l'air n'entrait plus dans ses poumons, la vie le quittait, ses yeux se fermaient ; plus la peine de chercher à s'expliquer les agissements de « l'autre »…

La dernière image que Dupuy, maître d'hôtel de madame de Vigier, eut de ce monde, ce fut une paire de bottes rouges qui s'éloignaient.

**

La foule se massait devant l'imposant bâtiment à l'architecture étrange, monté sur pilotis, construit mi-bois, mi-pierre, que chapeautait un campanile tarabiscoté piqué d'une fleur de lys en son sommet.

Attentifs, des centaines de badauds barraient le Pont-Neuf. Leur regard, tourné vers la façade, s'attachait moins à la représentation du Christ et de la Samaritaine au puits de Jacob, beau sujet d'attention, certes, qu'au cadran de l'horloge dont le mécanisme n'allait pas tarder à déclencher un air de musique. Ce qu'en fait ces gens attendaient, c'était la mélodie du carillon, unique en son genre, que les dix heures sonnantes feraient retentir, sans qu'on sache à l'avance la chanson qu'il jouerait ; c'était à chaque fois une surprise que le bon peuple de Paris accueillait avec émerveillement.

À cette particularité, la pompe de la Samaritaine – puisqu'il s'agissait de ce vénérable monument – ajoutait celle de l'inefficacité de ses deux aubes qui n'alimentaient que pauvrement en eau le Louvre et les Tuileries.

Dieudonné tenta de se frayer un chemin dans l'agrégat des promeneurs. À jouer des coudes, il se fit parfois agonir, mais les invectives cessaient aussitôt que les râleurs évaluaient sa musculature.

Un « ha ! » salua les premières notes et relâcha la pression générale ; il en profita pour avancer.

Passé ce premier obstacle, il dut convenir que la suite ne valait pas mieux, on se marchait sur les cothurnes quel que soit l'endroit où on mettait les pieds, on se bousculait, on se disputait pour un rien ; aussi, pour mieux localiser l'illustre Savoyard, décida-t-il de se mettre en retrait, contre une des arcades occupées par de petites échoppes. Avant d'y parvenir, ce fut à qui lui vendrait sa marchandise. Les estaleurs, leur bel écusson en cuivre de colporteur épinglé sur la poitrine, proposaient des rubans pour les merciers, des livres autorisés pour les bouquinistes ambulants. Chacun criait plus fort que le voisin ou concurrent à en crever les tympans de celui qui badaudait à moins de trois pas. Dieudonné parvint à grand-peine au parapet où il respira. Devant lui, le long de la Seine, il observa les pêcheurs immerger leurs brayes, espèces de chaluts fixes, pour ramener des carpes ou des saumoneaux dans leurs filets ; il suivit la danse sinueuse des toues, chargées de pierres, qui flottaient lentement, voile au vent. Un bourgeois hurla en découvrant le siège de sa chaise à porteur souillée d'excréments humains. La foule s'esclaffa. C'était chose courante ; les chieurs impénitents aimaient grimper dans un carrosse ou un véhicule à l'arrêt afin d'y laisser un souvenir. Princes et bourgeois, dans une remarquable égalité, avaient droit à cette revanche scatologique du petit peuple. Le jeune homme remarqua une grande agitation de l'autre côté du pont, vers la statue équestre d'Henri IV. On y riait fort. Il poussa à nouveau chanteurs et mendiants. Il écarta ainsi un interprète de cantiques qui psalmodiait à côté d'un braillard spécialisé dans les airs coquins ou militaires. Leur désordre musical frisait la débâcle harmonique, mais les badauds appréciaient l'ensemble en battant la mesure. Après avoir contourné un attroupement de curieux intéressés par l'art d'un arracheur de dents qui, installé sur des tréteaux, s'employait à ravager la dentition d'un innocent chrétien, il ignora la place Dauphine, continua vers l'autre rive et entendit cette harangue :

– *Je suis l'illustre Savoyard, / Des chantres le grand capitaine…*

Dieudonné vit un vieil homme juché sur une caisse, le regard dans le vide, tendre des feuillets imprimés à une foule hilare :

– *Et que chacun de vous se pique / De bien acheter mes chansons.*

Des mains de laquais, de manouvriers, d'apothicaires, de soldats, de bourgeois et même de petits gentilshommes s'arrachèrent les libelles. Des enfants, aux ordres du vieillard, ramassèrent l'argent dans des éclats de rire. Autour d'eux, au pied de la statue du bon roi, des individus inquiétants observaient la scène. Ce ramassis de tire-laine et de bretteurs de location faisait partie du paysage, leur accoutrement eût été d'un folklore consommé si cette bande qui s'intitulait elle-même « les courtisans du cheval de bronze » n'avait été dangereuse.

Dieudonné profita d'une accalmie pour s'approcher :

– Eh toi, petite ! Viens là.

La fillette aux dents blanches comme du lait d'agneau crut qu'il désirait acheter un sonnet ; elle ouvrit la paume de sa menotte pour qu'il y versât quelques deniers. Dieu-

donné la saisit par le bras, l'attira en la rassurant d'un sourire, fouilla dans sa poche, lui remit une croix de paille :

– Tiens, prends ça, donne-le au Savoyard, il sait de quoi
il retourne.

– Sans autre message ?

– Pas la peine.

Les pieds nus de la petite trottèrent sur le pavé. Elle se
faufila habilement entre les adultes, grimpa jusqu'au vieux,
lui chuchota quelques mots à l'oreille avant de lui confier la
croix. Dieudonné les regarda avec son attention coutumière
et, à ses pressions tactiles, il comprit que le vieil homme
souffrait de cécité. Après avoir palpé les brindilles, le
Savoyard donna un ordre à la fillette qui revint chercher
Dieudonné pour le conduire à lui.

– Le voici ! cria-t-elle joyeusement, une fois arrivée à sa
hauteur.

L'aveugle agita gauchement les bras, cherchant à localiser, à toucher le jeune homme.

– Où es-tu, messager des proscrits ? Quel est ton nom ?
Avance, que mes doigts te voient.

Sans hésiter, Dieudonné prit les mains du vieil homme
qu'il posa sur sa tête :

– Je m'appelle Dieudonné Danglet. Un ami m'a confié
l'objet que vous avez touché.

– Tu as de curieux amis, Dieudonné, ricana le Savoyard
en évaluant les contours de son visage, la puissance de ses
épaules. Mais mieux vaut qu'ils soient curieux que de ne
point avoir d'amis.

– Et savoir que l'on peut compter sur eux met à bas les
préjugés.

– Tu es bien jeune pour porter le poids de cette paille. Ta
taille n'y fait rien, j'ai senti ta vigueur, tu es fort, mais la
croix des insoumis est plus lourde pour l'esprit que pour les

bras. Là où tu t'engages, il faut autant de raison que de muscles, et les deux en quantité.

– Je ferai donc mienne la pensée de Descartes : « Je suis comme un milieu entre Dieu et le néant. »

– Propos de circonstance, jeune moraliste. Si tes reparties sont aussi vives que tes gourmades[1], je ne m'étonne pas que tes amis t'aient fait confiance. Parle, qu'attends-tu de moi ?

– Je dois voir Charonne. Pouvez-vous me conduire à lui ?

– Charonne ? Rien que cela ? Décidément, ceux qui t'envoient ont confiance en tes capacités. Bonne chance, mon garçon.

L'étonnement de l'aveugle signalait à Dieudonné que Charonne ne devait être ni un personnage de petite condition dans la hiérarchie des gueux, ni d'un abord commode.

– Bien, on va te conduire à lui… Poussette ! appela-t-il, écoute-moi bien, tu vas guider ce gaillard…

Il continua sur un ton très bas pour qu'on ne l'entende point. La fillette hocha la tête, lui souffla une réponse au creux de l'oreille.

– Dieudonné, suis-la, elle va te montrer le chemin.

– Merci, illustre Savoyard.

– Que le Seigneur te protège ! À te revoir, si j'ose dire.

Sous l'œil empli de curiosité des truands et des gueuses postés tout près, Dieudonné suivit Poussette qui l'emmena vers le quai des Orfèvres. D'autres tire-laine, vide-goussets habiles, traînaient là en abondance, à l'affût, toujours prêts pour un mauvais coup. Ils passèrent devant la maison où, deux ans auparavant, Jacques Tardieu, lieutenant de police criminelle, et son épouse, Marie Février, avaient été assassinés par des truands. Le retentissement que connut ce crime s'exprima dans une émotion populaire sans précédent. Seul monsieur Nicolas Boileau, magistrat de son état,

1. Coups de poing.

ne les pleura point. De par son métier, il fréquentait le couple qu'il détestait cordialement. Son mépris pour leur âpreté lui avait même inspiré quelques vers féroces. Il n'empêche que malgré leur méchanceté, les versatiles avaient beaucoup pleuré les victimes. Quant au roi, cette terrible affaire l'avait décidé à réformer sa police ; La Reynie, en somme, lui devait son poste.

Bien vilain endroit que ce quai des Orfèvres, se dit Dieudonné, l'un des moins sûrs de ce monde. Ces meurtres... Ces vols... Ça ne m'étonne pas que la police elle-même craigne d'y mettre les pieds !

Poussette s'arrêta devant une boutique :

– Attends ici, je viens te rechercher.

Le temps qu'elle aille prévenir de sa visite, il s'étonna du nombre d'individus troubles qui rôdaient dans les parages. Ils furent plusieurs à le considérer de loin, à peser, de manière machinale, ce que l'attaquer pourrait bien leur rapporter. La petite sortit, lui fit signe de s'avancer et repartit vers le Pont-Neuf en courant.

Dès qu'il entra dans la boutique, Dieudonné fut pris aux narines par la poussière qui l'encombrait. A contrario, les plats et la vaisselle d'argent, le plus petit objet de prix brillaient de cent feux ; mais, posés sur des tables crasseuses ou des étagères douteuses, tous n'avaient pas eu le bonheur de connaître un nécessaire époussetage depuis des décades.

Quel genre d'orfèvre abritait cet endroit dégoûtant ? se demanda Dieudonné en considérant la femme qui l'accueillit, les mains surchargées de bagues sur une peau ridée de poule maigre. Derrière sa balance, elle le toisa avec une sorte de moue propre à accentuer l'aspect cadavérique de ses traits usés ; elle ressemblait à un squelette à peine carné. La voix allait de pair, éraillée :

– On vous attend en bas. Je vais vous ouvrir la porte du fond, suivez-moi.

Elle prit d'abord le soin de fermer celle de l'entrée avant de se traîner jusque dans l'arrière-boutique. Là, à l'abri des regards, elle poussa sur un chandelier, pièce maîtresse d'un mécanisme qui déverrouilla une serrure dissimulée dans la pierre. Sur ce, elle poussa l'étagère avec une belle facilité. Une ouverture apparut, de même qu'un escalier humide.

– Descendez ! Charonne a ses quartiers à la cave.

– Fort aimable, remercia Dieudonné.

– Prenez ce bout de chandelle, ne glissez pas.

De l'eau suintait, s'infiltrait de toute part, l'obligeant à descendre avec précaution. Soudain, la porte secrète se referma derrière lui. Il marqua un temps d'arrêt, inquiet, puis progressa à nouveau, doucement, pour parvenir à un local mal éclairé, encombré d'objets hétéroclites, de filets de pêche, de tonneaux, d'outils, mais sans âme qui vive :

– Quelqu'un ? interrogea-t-il à voix haute.

La réponse fut soudaine. Elle prit la forme de deux violents coups assénés en même temps dans le dos et dans les jambes qui l'envoyèrent s'écraser dans des nasses. À peine à terre, il eut le souffle coupé par un coup de pied dans l'estomac. Par réflexe, il se protégea le visage, mais l'attaque cessa. Une ombre plus grande que l'autre, qu'il entrevit derrière ses agresseurs dans le contre-jour d'une pauvre chandelle vacillante, commanda à une plus petite :

– Atlas, allume les bougies, qu'on voie mieux ce pourceau.

Dieudonné ne pouvait parler, toujours à la recherche de sa respiration. La petite ombre virevolta, tel un papillon, d'un chandelier à un autre, pour illuminer la pièce en quelques secondes. Cela terminé, la lumière lui fit découvrir un nain, au nez épaté, à la chevelure en désordre, souriant de toutes les dents qui lui restaient, autant dire fort peu.

Près du nabot, un homme de taille moyenne, mais au corps puissant, avec un cou de taureau surplombé d'une tête arrondie, penchait sur lui un visage aux lèvres grasses, aux paupières lourdes, au front bombé. Le timbre de ce dernier, rocailleux, servait des propos menaçants :

– Alors, Danglet, enfin parmi nous ?

Dieudonné recouvra assez de souffle pour répliquer :

– Charonne, je présume ?

– Finement deviné.

– Réservez-vous le même accueil à tous vos visiteurs, ou est-ce un traitement de faveur ?

– Plaisante, mon bonhomme, si tu en réclames, j'en ai en réserve.

– Et que me vaut cette délicate attention ?

– Tu te fous de nous, ou quoi ? C'était hier qu'on t'attendait. Où as-tu traîné ? Avec qui tu étais ? Où est passé l'Éloquent ? Réponds, et fais attention à pas mentir.

Dieudonné gagna du temps ; il reprenait des forces :

– J'étais invité chez monsieur de La Reynie. Fort bon logis, bonne table, bonne chère, bon vin, conversation de choix.

Le nain éclata de rire :

– Ben moi, j'étais chez le prince de Condé, à une régale [1].

– Tais-toi, Atlas, lui intima Charonne. Bon, tu fais le malin, tu refuses de parler, c'est dommage pour toi, on va finir par se fâcher.

– Mais je vous dis la vérité ; le lieutenant de police m'a même engagé avec grade et traitement spécial.

– Assez ! cria Atlas. On aime pas les traîtres, tu joues avec le feu.

– Et je suppose que l'Éloquent a trouvé à se placer comme préposé aux interrogatoires ? railla son compère.

1. Fête offerte à ses meilleurs amis.

– L'Éloquent est mort.

La nouvelle refroidit la vindicte des truands ; la bouche ouverte, ils fixèrent Dieudonné. Charonne refit vite surface :

– Comment est-il mort ?

– Le guet. Ils nous ont poursuivis, nous n'avons pas eu de chance.

Dieudonné raconta l'épopée tragique, l'incompréhension des archers, le coup de hallebarde. Ses assaillants l'écoutèrent sans l'interrompre, terrassés par la nouvelle. À la fin, Atlas l'accusa :

– Et toi, pour t'en sortir, tu nous as forcément vendus, sinon, comment se fait-il que tu sois libre ?

– C'est vrai, renchérit Charonne, à l'heure qu'il est, tu devrais croupir à la Tournelle à te préparer pour la chiourme.

– Tu l'expliques, ce miracle ? Ça peut servir à d'autres.

– J'ai déjà répondu à cette question ; que cela vous surprenne ou non, monsieur de La Reynie m'a engagé.

– Persister dans le mensonge, c'est plus que pécher, grogna Charonne, c'est se foutre du monde !

Petit à petit, Dieudonné avait récupéré ses forces sans rien en laisser paraître. En discutant, il évalua la situation, les ressources de l'environnement, les outils capables d'être utilisés comme armes, les points faibles de Charonne et d'Atlas. Cela fait, il changea de tactique :

– D'accord ! D'accord ! Je vais vous dire la vérité : je me suis évadé du Châtelet.

– Ah ! s'étrangla Charonne, mais c'est qu'il est fort, ce garçon ! Et tu t'y es pris comment ?

– En tuant trois archers.

– En... en tuant trois archers ? s'étouffa le nain, goguenard.

– Pas quatre, ni cinq, par hasard, tu les as bien comptés ? persifla son compagnon, courroucé, mais néanmoins captivé par le toupet de Danglet.

Le jeune homme mit un souffle épique dans son récit :

– Je croupissais dans ma cellule dans un étage de la tour ouest quand les archers amenèrent un prisonnier ensanglanté, pantelant, chancelant, qu'ils traînèrent avant de le jeter comme un vieux sac dans une geôle attenante... Le pauvre homme râlait, et point n'était besoin d'avoir un doctorat en médecine pour constater qu'il n'en avait plus pour longtemps... Ces messieurs l'avaient bien arrangé, il n'était plus qu'une plaie des orteils aux oreilles.

– J'ai toujours dit qu'ils torturaient, au Châtelet ! s'indigna Atlas.

– Malgré ses gémissements, je pus entendre la conversation de mes gardiens au sujet de l'inconnu. Je compris qu'il s'agissait d'un espion espagnol qui n'avait ni plus ni moins fait que voler des papiers secrets à monsieur de Turenne sur ses futures manœuvres en Hollande.

– Turenne ! Manquait plus que ça, pesta Charonne qui se prenait au jeu.

Il parut évident à Dieudonné que Charonne, lui aussi, avait servi le maréchal. Il tira sur la corde sensible :

– Énorme affaire ! Pensez donc, à la veille de la guerre, savoir que nos ennemis sont au courant des plans du plus grand soldat de France...

– Un héros ! le coupa Charonne.

– Cela a de quoi inquiéter beaucoup de gens... Ceci étant, l'Espagnol avait refusé de parler, au grand dam de tout le monde. J'eus une idée ; comme je parle la langue de ces gens-là...

– Tu connais l'espagnol ? demanda Atlas, étonné qu'un Français puisse converser dans la langue de Cervantès.

– Oui, de même que l'anglais, l'italien, le latin et le grec... Mais revenons à mon histoire... Le souffle rauque de l'espion me fit comprendre qu'il n'allait pas tarder à mourir. Je l'appelai et lui dis que j'étais un compatriote, que s'il avait un secret à me confier, il pouvait compter sur mon patriotisme... Bien entendu, je prononçai quelques paroles peu aimables sur les Français qui le mirent en confiance. Il se confia peu, mais assez pour me demander de faire passer un message – que je vous traduis –, à savoir : « Les ailes des moulins sont des chevaliers. »

– Des poètes, ces Espagnols, persifla le nain.

– À une adresse où habite un certain Don Quichotte de la Manche.

Charonne se gratta la tête :

– Ce nom me rappelle quelqu'un...

– Sur ce, il mourut... J'appelai les gardiens sans tarder et leur annonçai que le défunt m'avait fait des révélations dans les conditions que je leur décrivis ; j'ajoutai que je ne voulais en parler qu'à monsieur de La Reynie et à personne d'autre.

Les deux hommes se pendaient maintenant à ses lèvres, sceptiques, certes, mais séduits par le talent du narrateur ; Dieudonné sentit que le moment de passer à l'action arrivait :

– Sans attendre, ils me sortirent de ma cellule pour me conduire dans les couloirs du Châtelet... C'est à une croisée que soudain je compris que l'instant était venu de me libérer... Et là, sans hésiter, je donnai un grand coup de pied dans des tonneaux ! ! !

Dieudonné les surprit par la rapidité de son geste. Il fit dégringoler la pile de tonneaux posés à la pointe de ses chaussures avec une telle force qu'ils s'écroulèrent tous à ce coup. Charonne et Atlas se protégèrent instinctivement, mais le nain en reçut un de plein fouet, ce qui l'envoya à terre, étourdi par le choc. Dieudonné se redressa d'un bond, face à Charonne déjà remis de l'émotion. Les deux hommes se dévisagèrent ; furieux, Charonne tira un cran d'arrêt, fonça sur Dieudonné qui attrapa le bras de son adversaire, roula sur le dos, et le projeta derrière lui en collant les pieds sur sa poitrine. Il se releva aussitôt pour arrêter Atlas qui le chargeait ; un coup de poing bien mené assomma le nain qu'il renversa la tête en bas dans un tonneau. Il se retourna pour voir Charonne, à nouveau sur ses jambes, bondir sur lui. Dieudonné s'écarta in extremis, l'autre s'écrasa par terre. Sans perdre un instant, il empoigna le cran d'arrêt, sauta sur le dos de Charonne, l'immobilisa en remerciant le père Rungoat pour ses leçons passées, et lui mit le tranchant de la lame sur le cou :

– Qu'est-ce que t'attends ? grinça le vaincu. Vas-y, égorge-moi.

– Écoute-moi bien, Charonne, je n'ai pas l'intention de te tuer, mais de collaborer avec toi comme c'était convenu avec le Grand Coësre. Tout ce que je t'ai raconté sur la mort de l'Éloquent et sur notre arrestation est vrai. Tu as ma parole.

– Et comment tu t'en es sorti ?

– Je ne plaisante pas, ça paraît insensé, mais La Reynie m'a bien invité chez lui et m'a bien engagé. Je te le jure sur Dieu, sur mon repos éternel.

– Ton histoire est pas croyable.

– Celle de ma vie pas davantage.

– Tu veux quoi, maintenant ?

– Arrêter cette bagarre, discuter. N'oublie pas que des milliers d'innocents risquent de mourir, ça vaut la peine de nous calmer.

*
**

135

Les pots d'étain s'entrechoquèrent une fois encore.

– Ventrebleu ! Pour une aventure, c'est une aventure ! J'en crois pas mes oreilles. Et maintenant, tu es de la police ?

– Sans en être. Monsieur de La Reynie m'a confié un poste très particulier, comme je te l'ai raconté.

– Tu souhaites donc qu'on marche main dans la main ?

– Au moins pour cette affaire.

Charonne réfléchit, but un peu de vin, interrogea Atlas :

– Qu'en penses-tu, toi ?

– J'ai juste une question : qu'est-ce qu'on gagne après ?

Dieudonné capta le regard du nain :

– Gagner ? Gagner ? Tu gagneras un ami dans le camp d'en face. Qui sait ? Dans l'avenir, ça peut servir. (Puis il se tourna vers le chef :) Et quand on se fait appeler Charonne, que l'on est fier d'avoir combattu pour prendre Paris aux côtés du roi et de Turenne, que l'on s'est fait tirer dessus à boulets rouges par la Grande Mademoiselle, mais que ce passé glorieux a été effacé par un coup du destin, on y gagne à retrouver un peu de son identité.

– Comment t'as deviné que j'étais à Charonne en 52 ?

– Une intuition. Comment et pourquoi tu as perdu ton nom après cette bataille ne me regarde pas… Mais je sais qu'en plus tu gagneras de sauver ceux dont tu partages la foi, parce que tu es protestant, mon ami.

Charonne sembla ému, mais il balaya sa faiblesse d'un revers de la main :

– Entendu. Quel est ton plan ?

– Quadriller un secteur défini. Pour cela, j'ai besoin de six hommes intelligents, discrets, très habiles.

– Tu les auras.

– Je les veux demain rue aux Ours à huit heures.

– Compte sur moi, ils y seront.

Ils trinquèrent pour sceller leur alliance. Atlas éclata de rire :

– Dès maintenant, Paris n'est plus protégé par le guet, mais par les gueux !

– Ce sera donc la brigade des gueux ! ajouta Dieudonné.

Et la plaisanterie fut l'occasion de reboire à sa santé.

– Au fait, Dieudonné, Holbröe m'a confié un message pour toi : il a montré la clé de Vigier à un maître serrurier, un expert : elle ne peut ouvrir un coffre. Trop petite. Tu dois chercher un réceptacle plus petit.

– Ah ?

Et la cervelle de Dieudonné se remit à tout analyser.

***
****

Quelques heures auparavant, le drame avait poursuivi son cours...

La rapidité de l'action priva le personnel de la rue du Foin d'un temps de réflexion utile pour se poser des questions.

Le jour allait se lever quand monsieur de Lagny, la bedaine en avant, escorté de Nicolas le cocher, fit réveiller les serviteurs pour les réunir dans la salle à manger :

– Vous savez tous, commença-t-il dans un discours très bref, que madame de Vigier m'a demandé de m'occuper de ses affaires tant que le meurtre de votre maître ne serait pas élucidé. Mon expérience de la racaille me pousse à craindre, hélas, un retour de l'assassin sur les lieux de son crime.

Un cri de consternation s'échappa du groupe : Bérengère, la lingère, se signa en appelant tous les saints de sa connaissance à son secours ; Pierre, le cuisinier, postillonna son effroi ; les autres signifièrent leur stupeur dans un bel ensemble de bouches bées.

– Plus personne ne peut compter sur la moindre parcelle de sécurité entre ces murs. Il faut les quitter sur-le-champ.

Jean-Baptiste fut le seul capable d'articuler quelques phrases :

– Mais, et la police ? Ne peut-elle nous protéger ?

Monsieur de Lagny haussa les épaules :

– Débordée, incapable, dépassée ! Mon pauvre ami, oubliez-la pour votre salut, on ne peut s'en remettre à elle, je la fréquente, je sais ce qu'elle vaut.

– Alors que faire, Monsieur ?

Le magistrat lui serra les épaules :

– D'abord, garder courage. Ensuite, m'accorder votre confiance…

Il reprit sa respiration pour enchaîner :

– Vous allez tous partir de cette maison sur l'heure pour gagner un endroit isolé où Nicolas va vous conduire en carrosse. Je mets mon manoir de Brouillet à la disposition de madame de Vigier où elle vous rejoindra bientôt. Les criminels n'auront pas l'idée de vous chercher dans le fin fond de la Champagne, c'est la meilleure cachette au monde, croyez-moi sur parole.

Jean-Baptiste observa, respectueux :

– Pardonnez mon audace, Monsieur, mais je ne vois pas Dupuy…

– Il vous a précédés, je l'ai envoyé à Brouillet hier soir pour préparer la demeure.

Les serviteurs semblaient hésiter, le magistrat les fustigea :

– Allez ! Du nerf, bon sang ! Il n'y a pas une minute à perdre, montez tous dans le carrosse, vite !

– Mais nos hardes, nos affaires ? s'inquiéta Odile, la femme de chambre.

– Vous trouverez tout le nécessaire à Brouillet, nous n'avons pas une seconde à perdre avec ces futilités ; profitons de la pénombre, le « Heaume » n'a pas encore ouvert ses portes, personne ne nous remarque, c'est le moment idéal. Trêve de bavardage, en route !

Sur ce, Nicolas les poussa au-dehors où ils montèrent tous les quatre dans le carrosse, sans protester, soumis à la volonté de Lagny.

L'équipage démarra à un train d'enfer, traversa à vive allure le Marais, puis l'ancienne île aux Vaches et les bras de la Seine, comme poursuivi par la peste. Le jour se levait quand il arriva en vue de la Tournelle où il croisa un « carrosse à cinq sols » qui prenait son service, récent moyen de transport en commun prisé des Parisiens pressés.

Il franchit enfin la porte Saint-Bernard pour s'enfoncer dans la campagne.

Bercée par le tangage, Odile s'endormit sur l'épaule de Bérengère. Pierre regarda le paysage défiler. Jean-Baptiste ne cessa de ressasser les événements, inquiet de la tournure qu'ils prenaient ; ce voyage ne lui plaisait pas, il voulut s'en ouvrir au cuisinier, mais le rondouillard le rembarra :

– Tu te fais des idées, que veux-tu qu'il nous arrive ?

La réponse lui fut donnée presque aussitôt. Le carrosse s'arrêta dans un pré en bord de Seine dans un endroit désert, couvert de brume.

– Descendez ! leur ordonna une voix inconnue.

Odile, réveillée en sursaut, serra, apeurée, le bras de Bérengère, laquelle, malgré ses paroles rassurantes, n'en menait pas large. Les passagers se regardèrent, abasourdis. Que signifiait cette halte dans ce terrain perdu ?

– Vous m'avez compris ? insista la voix.

Ils tardèrent à lui obéir. Excédée, la voix commanda :

– Allez-y !

Des hommes ouvrirent les portières, leurs mains saisirent Odile pour la jeter à terre. Tout se passa très vite. L'un d'eux leva un gourdin qu'il abattit sur le crâne de la femme de chambre. Elle n'eut pas le temps de crier, sa cervelle explosa, ses narines pissèrent le sang sur l'herbe mouillée. À ce spectacle, Bérengère hurla à s'en briser la gorge. Il fallut que deux de ses agresseurs conjuguassent leurs efforts pour la précipiter hors du carrosse, sur le sol, où ils lui éclatèrent la tête. Leurs coups dévièrent, elle tenta de se relever, le front ouvert par une plaie béante. Ils durent l'achever en lui brisant les vertèbres, dans un vain concert d'appels à leur pitié. Jean-Baptiste prit ses jambes à son cou mais, pas aussi rapide que ses poursuivants, il subit le même sort. Avec Pierre, les meurtriers tombèrent sur un bec pour achever leur méchant travail. Le cuisinier leur fit face avec un solide bâton qu'il avait ramassé. L'énergie du désespoir centuplait ses forces. Il fit tournoyer son arme de fortune d'une manière qui inquiéta la bande d'assassins. Certains sortirent leur épée ; ils se regroupèrent d'abord dans l'urgence, puis se déployèrent en arc de cercle pour le faire reculer jusqu'au bord de l'eau. Le bonhomme ne faiblit pas, ses moulinets allaient même de plus en plus vite, de plus en plus fort. Mais hélas pour lui, la berge humide lui fut fatale ; il glissa, tomba sur le dos et, avant même qu'il pût commencer à se rétablir, les criminels se précipitèrent sur lui. Il se débattit en les maudissant, en distribuant les coups de poing, avec une rage telle que ses bourreaux n'eurent pas d'autre solution que de le noyer en l'immergeant à moitié dans la Seine.

Quatre cadavres gisaient, épars, dans ce vilain pré.

Un homme aux bottes rouges commanda :

– Jetez-les à l'eau !

Ce à quoi la troupe s'employa. Contre toute attente, l'homme aux bottes rouges se signa en récitant une prière à haute voix :

– Pardonnez-nous, mes frères, pardonnez-nous, mes sœurs, mais votre mort est utile. Nous ne la voulions pas, nous vous l'avons donnée contraints par les circonstances. Vous étiez les témoins des préparatifs de la plus grande bataille qui va se livrer pour la gloire de Dieu, nous ne pouvions compromettre Son avènement dans le royaume de France. Il vous accueillera, peiné par votre sacrifice. Nous, Il nous jugera, mais nous nous y préparons. Amen.

Les corps flottèrent sur place avant de disparaître dans les vapeurs d'eau. L'un des agresseurs s'approcha de l'homme aux bottes rouges :

– Et si on les repêche, Pérols, qu'adviendra-t-il ?

– Qui pourra les reconnaître ? L'eau, d'ici là, aura accompli des ravages sur leurs visages.

– Mais imaginons que ce soit le cas, qu'on les identifie malgré tout.

Pérols sourit :

– Madame de Vigier ne veut rien savoir des décisions de monsieur de Lagny... La pauvrette n'avouera jamais ce qu'elle ignore.

– Et Lagny ?

– Personne n'est assez fou pour l'accuser. Tout Paris connaît le nom de son protecteur, aucun magistrat n'oserait accomplir un acte suicidaire pour sa carrière en l'interrogeant. Et puis, d'ici peu, nous aurons commencé notre ascension vers le pouvoir. Confiance, mon ami, confiance.

Un rossignol chanta.

La troupe de meurtriers lui rendit son pré en partant au galop.

S'il y avait une chose que monsieur de La Reynie détestait plus que tout au monde, c'était bien le désordre, quel qu'il fût. L'infernale succession de sonneries de cloches faisait partie de son musée des aberrations. Qu'on juge plutôt de la cacophonie : cinq heures de l'après-midi sonnaient depuis dix bonnes minutes d'une paroisse à l'autre, au bon vouloir des curés et des bedeaux, en fonction de leur aptitude à interpréter les indications de leurs cadrans solaires ou de leurs clepsydres. Chacun défendait son école, tous persuadés d'avoir raison, et il fallait compter une bonne demi-heure avant que le concert cessât. À cette irritation s'ajoutait celle d'une petite pluie agaçante dont la danse finissait de mettre à vif les nerfs du lieutenant de police.

Il marchait dans le Marais, à grandes enjambées, accompagné de deux archers et d'un exempt dont il avait apprécié l'intelligence autant que la droiture. Ce jeune homme, du nom de Desgrez, réunissait moult qualités : La Reynie voyait en lui l'un des futurs piliers de sa police. Ce garçon, plein d'initiative, l'avait alerté du meurtre de Dupuy, sans attendre que les procédures légales soient achevées. En parallèle, le Parlement s'était enfin réveillé pour le saisir de l'enquête du meurtre de monsieur de Vigier ; c'est pourquoi, sans plus tergiverser, excédé qu'on se moquât de lui, il se rendait au domicile du magistrat assassiné. Il n'espérait pas de sa veuve de quelconques aveux, il s'attendait même de sa part à une version romancée des faits ; mais son but, dans l'immédiat, visait à ce que madame de Vigier sache qu'on devait maintenant compter avec sa détermination. Plus on apprendrait autour d'elle qu'il mettait son nez dans cette affaire et plus le cercle des comploteurs aurait des chances de commettre une erreur.

Autre sujet de profond agacement du lieutenant que celui de la propreté des rues ! La nuit n'était pas encore au rendez-vous que déjà la chaussée devenait impraticable, encombrée de détritus déposés au petit bonheur sur le seuil des maisons. On atteignait le paroxysme avec la pratique du jet des déjections par les fenêtres, à l'exemple de ce pot de pisse qu'un particulier déversa du troisième étage d'un immeuble. L'un des archers, un grand gaillard, en fut éclaboussé jusque dans sa barbe, l'autre, plus petit, eut son écusson pectoral, aux armoiries de la ville, son feutre bleu et ses plumes blanches souillés d'urine.

– Holà ! cria La Reynie, courroucé, Paris n'est pas une porcherie ! Où vous croyez-vous ? Malotru ! Rustre ! Goujat !

Mais le coupable ne lui répondit pas, retranché derrière sa fenêtre.

– Quelle misère ! Quelle honte ! Ça pue, ça glisse, on trébuche à chaque pas, je vous jure que je vais y mettre bon ordre !

Il évacua sa fureur tout le reste du chemin en pestant contre la horde des malappris qui infectaient la ville. C'est avec une humeur de dogue en rage qu'il tourna rue du Foin, mais à l'approche de l'hôtel Vigier, conscient de la nécessité de maîtriser ses nerfs, il aspira un grand bol d'air pour se calmer. Savoir se contrôler faisait partie de ses atouts.

Avant de cogner à l'huis, il vérifia la tenue de ses hommes. Satisfait de leur prestance, il frappa à la porte. L'attente fut brève ; une femme, vieille, verruqueuse, difforme, revêche, vint ouvrir. Sans laisser le temps à La Reynie de se présenter, elle aboya comme un cerbère :

– Madame ne reçoit pas !

Et faisant fi d'un minimum de politesse, elle s'apprêta à refermer.

– Service du roi ! Je suis monsieur de La Reynie, lieutenant de police de Paris ! Je vous somme d'ouvrir et de nous laisser passer ou je vous fais, céans, conduire au Châtelet !

Le visage de la malitorne vira à des couleurs inconnues jusque-là de la faculté, bégaya des excuses, s'effaça pour le laisser entrer, suivi de Desgrez et de ses deux archers.

– Prévenez madame de Vigier de ma présence. Je désire m'entretenir avec elle au plus vite.

– Bien, oui, oui, mais vous savez, elle est encore sous l'émotion.

– Nous ne la dérangerons pas longtemps. Allez !

La vieille partit chercher sa maîtresse. Personne d'autre ne vint les accueillir ; il semblait, à part cette grosse tigresse, qu'il n'y avait plus un seul serviteur dans la maison, absence singulière qui étonna La Reynie.

Les yeux rougis, blême, petit biscuit fragile, madame de Vigier apparut en s'appuyant sur le bras de sa farouche gardienne. Le noir de ses vêtements de deuil encadrait avec férocité un visage qu'elle arrivait à déguiser en temps normal. Les busquières souples aux manches rembourrées de jonc de mer, les jupes brodées à la friponne, à la modeste ou à la secrète, et les bijoux étincelants parvenaient d'ordinaire à la rendre plus jeune. Mais là, dans sa parure funèbre, on se demandait laquelle, de la servante ou de la maîtresse, était l'aînée de l'autre. La Reynie fut choqué par ce triste spectacle. Un instant, il fut sur le point de lui présenter des excuses, voire de lui proposer de revenir, mais le garde-à-vous subit de l'archer barbu le sortit de sa torpeur :

– Madame, soyez assurée que je respecte votre douleur, néanmoins le devoir me commande de vous interroger pour arrêter au plus vite les infâmes assassins de votre regretté époux.

– Je le comprends, monsieur, et vous prie de me pardonner de vous recevoir dans un état d'extrême faiblesse. J'espère que le Ciel me donnera la force de répondre à vos questions avec la précision que vous attendez de moi.

– Il vous assistera, madame, j'en suis certain.

– Venez, monsieur, nous serons plus à l'aise dans des fauteuils pour continuer cette dispute, allons dans le salon.

Affectée par la peine, comme si la douleur de son âme frappait sa démarche d'une fièvre tierce, Madeleine de Vigier se transporta, en reniflant par trop, dans une pièce d'un goût épouvantable tant, par la quantité des boiseries, on l'avait surchargée du vouloir de paraître accommodé. Elle s'écroula en deux temps dans un fauteuil aux pieds dits « en os de mouton » qui ne dépareillait pas dans ce décor de mauvaise facture. Malgré son chagrin affiché, elle n'oubliait pas les convenances et pria La Reynie de prendre un siège, ce qu'il fit. Ses hommes restèrent debout. Le lieutenant alla droit aux faits :

– Madame, vous n'ignorez pas que le corps de Dupuy, votre maître d'hôtel, a été retrouvé ce matin, à deux pas d'ici ?

– J'en ai été avertie, monsieur ; on m'a rapporté qu'il a reçu un méchant coup mortel en regagnant notre hôtel.

– Puis-je savoir qui vous a prévenue ?

– Ces messieurs du guet. Des passants ont reconnu l'infortuné, un officier est venu me prévenir aussitôt. La description qu'il m'en a faite et les quelques affaires apportées pour que je les identifie ne m'ont pas trompée, il s'agit bien de ce pauvre Dupuy. Dieu ait son âme. (Elle en profita pour essuyer une larme de commande :) C'était un serviteur fidèle, il me manquera beaucoup.

Quelques pleurs de bon ton illustrèrent ses regrets.

– Madame, avez-vous une idée de la raison pour laquelle il errait dans Paris en pleine nuit ?

– Aucune, il n'avait pas pour habitude de découcher, ou alors il la dissimulait fort habilement… Pour moi, Dupuy incarnait la droiture.

– Fort bien, votre sentiment me guide précieusement. (Avec le même ton doucereux, La Reynie poursuivit :) Toutefois j'aimerais balayer une incertitude ; votre maître d'hôtel vous cachait sans doute ses travers ; s'ils vous échappaient, ils ne devaient pas être méconnus de votre personnel... Les domestiques sont toujours au courant de tout, j'aimerais les rencontrer pour leur en dire deux mots. Permettez-moi de les faire comparaître ici.

Madame de Vigier tourna de l'œil en criant à l'aide :

– Vite ! ma bonne Jeanne, l'esprit-de-sel...

L'imposante servante s'empressa auprès de sa maîtresse, le précieux flacon à la main ; au spectacle de Madeleine dodelinant de la tête comme les ailes d'un moulin tournant dans le vide, les mains occupées à retrouver de la précision pour éventer son visage, La Reynie se précipita pour la soutenir. Mais il ne lâcha pas prise :

– Madame ! Madame ! Je vous en prie ! Ressaisissez-vous !

– Ah ! monsieur, que de soucis et de drames depuis deux jours...

– C'est tout l'objet de ma présence, madame... Aussi, je réitère ma demande pour questionner votre personnel.

La veuve du procureur renifla, sanglota, image d'une femme désespérée et sans défense :

– Hélas, monsieur, ils sont tous partis.

– Comment, partis ?

– Le meurtre de mon mari, celui de Dupuy... ils ont pris peur, ils se sont enfuis sans me prévenir, ce matin même, avant l'aurore, pendant que je dormais.

– Mais leurs gages ?

– Leur frayeur les a empêchés de me les réclamer. Ils se sont subitement dispersés, cuisinier, laquais, lingère, femme de chambre... Pas un mot, pas un au revoir.

– Et cette femme, Jeanne, ici présente ?

Madeleine pressa la main de la grosse servante :

– Le Seigneur soit loué, des amis s'inquiètent de mon état, et monsieur de Lagny, magistrat à la Table de marbre,

146

dès qu'il a appris la fuite de mes gens, m'a dépêché Jeanne. Elle n'est là que depuis quelques heures.

Ce tour ne plaisait pas à La Reynie qui s'obstina :

– Pardonnez mon insistance, il se trouve que l'on m'a causé d'un dénommé Nicolas, cocher de son état, employé à votre service. S'est-il évaporé, lui aussi ?

– Nicolas ? Cet homme ne nous sert qu'une fois par semaine, le lundi, pour me conduire à Saint-Denis où j'aime à faire mes dévotions. L'esprit de nos souverains flotte dans la basilique d'une manière apaisante, j'y puise un immense réconfort.

– Avez-vous une idée où je pourrais dénicher ce Nicolas ?

– Pas la moindre ; monsieur de Vigier l'avait engagé sans rien me confier de ses références.

Ces réponses et la disparition mystérieuse du personnel ne trompaient pas le lieutenant. Sous ses airs de *mater dolorosa*, madame de Vigier se fichait de lui ! Et de belle manière. Il ignorait en entrant comment elle allait se payer sa tête ; en connaisseur il saluait sa prestation... mais se réservait le droit de la lui faire payer : l'offense, à ses yeux, le touchait moins que celle faite à la justice qu'il ne pouvait laisser bafouer de la sorte. Il fit mine, pour l'instant, de compatir aux malheurs de la dame, et, sans l'alerter, relança l'interrogatoire sur des faits nouveaux :

– Je me suis permis de vous apporter divers objets que nous avons découverts sur le corps de Dupuy. Souffrez que je vous les montre.

– Faites donc, monsieur.

La Reynie sortit de sa poche une bourse vide et une bague. En les découvrant, Madeleine retomba en pâmoison et fit à nouveau appel aux bienfaits du flacon de sels. Cette fois-ci, le lieutenant de police resta de pierre. Il attendit que la pseudo-crise se terminât, au terme de laquelle il put constater une lueur de désappointement dans les yeux de la veuve éplorée.

– Il me semble, madame, que vous les reconnaissez ?

– Oui, monsieur, et mon cœur se meurtrit. Se pourrait-il que Dupuy ?... Non ! Je ne peux y croire !

– Mais encore ? Précisez.

– Cette bague... Cette bague appartenait à mon mari ! Cette bourse également !

– Vous êtes formelle ?

– Sur ma foi ! Tout le monde lui connaissait cet anneau, il ne quittait jamais son annulaire et, j'ai de la peine à le dire, il avait disparu de son doigt quand nous l'avons découvert mort. (Elle sanglota, se tordit les mains, hurla :) Dupuy ! Dupuy ! Serait-ce lui l'assassin ?

La Reynie garda tout son sang-froid :

– Quant à la bourse ?

– De même, elle était à monsieur de Vigier ! Rassurez-moi, le monstre que nous cherchons se cachait-il derrière Dupuy ?

– Je l'ignore, madame, nous avons retrouvé cette bourse près de sa dépouille et la bague dissimulée dans le repli de sa culotte. C'est en le fouillant que nous l'avons découverte.

Cette annonce la replongea dans un baquet de pleurs, elle hurla son désespoir. La Reynie, stoïque, attendit qu'elle en finisse :

– À présent j'aimerais, s'il vous plaît, que vous me décriviez les circonstances exactes de la mort de votre mari.

Madeleine, étonnée, ouvrit la bouche comme si l'air lui manquait :

– Comment ? Mais j'ai déjà tout raconté au sergent du Parlement, il ne vous a rien transmis de mon témoignage ?

– Pas encore, et si cela était, je souhaiterais quand même l'entendre de votre bouche, en insistant poliment. Un fait anodin pourrait se révéler important.

– Soit… Bien… Comme je l'ai déjà dit et ainsi que la chose a été consignée, lundi soir je me reposais dans ma chambre. Je savais monsieur de Vigier tout à ses dossiers et lisais le livre de Furetière, *Le Roman bourgeois*. Le calme régnait dans la maison quand, tout à coup, Dupuy a frappé à ma porte en criant qu'il avait entendu des bruits violents dans le cabinet de mon mari. Du plus vite que j'ai pu, je me suis habillée, l'ai suivi et…

Elle écacha une ultime larme surgit de ses yeux en amande.

– Et quoi, madame ?

– Et là, dans son cabinet, j'ai découvert le corps de mon malheureux époux, étendu au milieu d'un carnage de papiers déchirés, de dossiers éparpillés. Un triste tableau…

– Personne, à part Dupuy, n'a assisté à la scène ?

– Si. Dupuy a appelé le cuisinier et un laquais, mais ils n'étaient d'aucune utilité, la mort avait fait son œuvre.

– Pouvez-vous me donner le nom de ces deux hommes ?

– Monsieur, j'en suis incapable ; leurs prénoms, oui, Pierre et Jean-Baptiste, mais je n'ai jamais su leur nom. Je vous l'ai dit, mon mari tenait à engager lui-même le personnel, il me laissait dans l'ignorance de ces formalités.

– En conclusion, tous les témoins ont disparu…

Madeleine acquiesça. Elle sembla réfléchir avant de bondir sur son siège, illuminée d'une pensée toute neuve :

– Les témoins courent sans doute la campagne, mais l'assassin est mort !

– Vous parlez de Dupuy ?

– Mais tout l'accuse ! Il aura monté ce théâtre pour tromper son entourage après avoir détroussé mon mari ! Nous en avons la preuve avec cette bourse et cette bague !

La Reynie apprécia mal cette pirouette, sans rien en montrer :

– Et pourquoi Dupuy, à son tour, aurait-il été assassiné ?

– Cela coule de source, il aura été jouer dans un tripot où quelque truand aura remarqué sa fortune et l'aura suivi pour le voler… Ah ! je suis sûre que toute la vérité se résume dans ma supposition ; justice est faite !

Au fond de lui, le lieutenant oscillait entre le rire et la colère. Il choisit de s'en tenir au parti qu'il avait adopté depuis le début, à savoir celui de la neutralité, du retranchement derrière les procédures administratives :

– Il se peut que vous ayez raison, madame. Toutefois, avant de vous quitter, je souhaiterais visiter le lieu du crime, c'est la règle, il nous faut le décrire dans notre rapport. Puis-je vous prier d'être assez aimable pour m'y conduire ?

Madame de Vigier se leva pour le mener au cabinet de son défunt époux. Desgrez et ses deux archers les suivirent. Une fois la porte ouverte, La Reynie découvrit la pièce telle que Danglet l'avait décrite. On avait procédé à un rangement sommaire, les papiers ne jonchaient plus le sol, empilés à présent sur la table de travail ; un cadenas fermait le coffre. Le lieutenant donna ses ordres :

– Desgrez, notez tout ce que je vais dire ; vous deux, examinez bien les lieux et avertissez-moi si quelque détail vous semblait suspect.

Sur ce, La Reynie dressa l'inventaire sommaire de ce qu'il voyait, s'attarda en précisions sur l'emplacement où le magistrat avait été retrouvé, pendant que les archers fouillaient dans tous les coins.

Le grand barbu examina la bibliothèque, sans rien toucher. Il s'arrêta tout à coup, son regard croisa celui de La Reynie dont il s'approcha pour lui parler à l'oreille, puis il reprit son investigation. Le plus petit des deux entreprit de fouiller derrière les rideaux, sous les tapis, dans les moindres recoins. Il fit un signe au lieutenant de police pour indiquer qu'il n'avait rien trouvé.

– Bien, madame, nous allons prendre congé. Un mot encore, avant de partir : votre époux prisait-il le tabac ?

Les yeux de Madeleine consentirent à s'ouvrir d'étonnement :

– Il détestait le pétun... Quel rapport ceci a-t-il avec notre affaire ?

– Et Dupuy ou quelque autre de vos gens ?

– Pas davantage... M'expliquerez-vous ?...

– Rien, la coupa La Reynie, c'est sans importance.

L'investigation prit fin. Monsieur de La Reynie quitta madame de Vigier en lui renouvelant ses excuses, Desgrez et les archers la saluèrent avec déférence et tous se retrouvèrent rue du Foin. Ils se mirent en marche sans parler. Passé la place Royale, le lieutenant fit arrêter sa troupe sous les fenêtres de la maison où était née madame de Sévigné, dont le grand-père avait assuré la fortune de ses descendants en qualité de promoteur immobilier du site :

– Desgrez, vous allez retourner au Châtelet me préparer le procès-verbal de cette visite.

– À vos ordres, monsieur le lieutenant de police.

– Vous, continua-t-il en désignant le grand archer barbu, suivez-moi. J'ai besoin de vérifier quelque chose, vous me seconderez.

– À votre disposition, monsieur.

Les deux groupes se séparèrent, Desgrez partit vers la rue Saint-Antoine, La Reynie remonta jusqu'à la rue de Francs-Bourgeois. Quand ils furent hors de vue les uns des autres, La Reynie s'immobilisa tout net, se retourna vers l'archer barbu, fulmina entre ses dents :

– Pour une garce, c'est une belle garce !

– Je partage votre avis.

– Pourtant, vous m'aviez prévenu, Danglet, mais se moquer à ce point de la police, presque ouvertement, dépasse l'entendement.

151

Dieudonné se gratta du menton au crâne, sa fausse barbe et sa perruque le démangeaient à s'en arracher la peau.

– Attendez avant de vous débarrasser de cet attirail, on nous observe peut-être.

– Soyez sans crainte, monsieur. Dans mes vingt petits métiers, j'ai pris l'habitude de supporter cette sorte de masque en jouant les extras chez les comédiens de monsieur Molière. Ils m'y employaient à me défigurer en grimaces.

– Et je les en félicite, ils vous ont merveilleusement formé à faire illusion, vous étiez excellent dans ce rôle chez madame de Vigier. Alors, votre impression ?

Dieudonné, à son habitude, croisa les bras derrière le dos en marchant sous les arcades :

– Il paraît évident que cette dame trempe dans le complot jusqu'aux oreilles. Nous savons que sa version des faits est complètement fausse, Holbröe et moi-même avons disparu de son récit. Ahurissant !

– De même que le personnel témoin. Quand je repense à la fin tragique de Jacques Papelard, j'ose à peine imaginer ce qu'il est advenu de ces pauvres laquais… Nos adversaires n'hésitent devant rien.

– N'oublions pas Dupuy dans cette macabre liste.

– Mais pourquoi l'avoir supprimé ? De toute évidence, il partageait leurs vues.

Dieudonné s'arrêta, laissa passer quelques promeneurs avant de répondre :

– Cartésien : pour que l'enquête conclût à sa culpabilité. Il n'était qu'un pion, à leurs yeux, dans ce jeu d'échecs de la vie et de la mort, ils n'ont pas hésité à le sacrifier dans une mascarade chargée de preuves contre lui. Grâce à cette manœuvre grossière, ils supposent que la police, heureuse d'avoir trouvé l'assassin avec son mobile, refermera le dossier.

– Et s'ils pensent nous berner aussi facilement, ils se trompent ! Madame de Vigier, certes, nous a offert un joli numéro d'actrice, ses pleurs et sa mine décomposée m'auraient arraché des larmes, mais je ne suis pas dupe !

– Un peu de fond d'huile de talc a servi à blanchir son teint ; ce produit fait son apparition chez les élégantes, on en use déjà au théâtre.

La Reynie applaudit des deux mains :

– Mes félicitations, madame l'intrigueuse. Cela dit, nous avons au moins une raison de nous réjouir, notre réseau d'information fonctionne !

Il est vrai que le système mis en place par le lieutenant de police ne souffrait d'aucun défaut. Dieudonné, après avoir quitté Charonne, s'était rendu rue aux Ours où il avait découvert, outre mobilier et victuailles, une garde-robe bien fournie où pendaient plusieurs uniformes... Monsieur d'Artagnan était prompt à exécuter les ordres du roi, mais le jeune homme ignorait qu'il devait la mise en place rapide de son quartier général au capitaine des mousquetaires le plus efficace du royaume.

La Reynie lui avait laissé quelques instructions sur papier libre, sans signature, au nombre desquelles cette dernière des plus utiles :

« Cas d'urgence et de danger : remettre au garde du Châtelet une des boîtes bleues posées sur l'étagère (il y en avait en quantité) et lui dire de me la porter sur-le-champ. M'attendre près du pont aux Changes où je me rendrai aussitôt. »

Dieudonné appliqua sans attendre ces directives. Il délégua un gamin, moyennant une pièce, auprès du sergent de garde. Sitôt après, le lieutenant de police vint prendre l'air sur les bords de la Seine. Négligemment, avec l'air de quelqu'un qui cherche son chemin, Dieudonné l'aborda pour l'informer du message de Holbröe. La Reynie, à son tour, lui fit part de son intention de rendre visite à l'hôtel

Vigier ; Dieudonné eut alors l'idée de l'accompagner déguisé et grimé.

Desgrez s'était abstenu de poser la moindre question sur la présence de cet archer inconnu du Châtelet, le lieutenant savait qu'il l'effacerait vite de sa mémoire.

– Et à quoi rimait cette histoire de tabac, Danglet ? J'ai posé une question à laquelle je n'ai rien compris.

– J'en ai trouvé des brindilles au pied de la bibliothèque. Il y a fort à parier que le complice de Madeleine use de l'herbe à la Reine.

L'image des Colbert, Lamoignon et Chevreuse s'imprima dans la mémoire de La Reynie. Décidément, il lui fallait chasser ses obsessions. Il soupira :

– Soyons sincères, Danglet. Mis à part un effet de troupe propre à effrayer un instant ces oiseaux, notre déploiement n'a pas eu le résultat escompté.

– Le pensez-vous ? demanda Dieudonné, tout sourire.

– Oui. À moins que vous n'ayez découvert ce que nous cherchions, ajouta le lieutenant comme par défi.

Dieudonné arbora un air satisfait :

– C'est le cas, monsieur, sur mon honneur, j'ai le plaisir de vous apprendre que j'ai trouvé ce que nous cherchions.

– Comment ? Par la sainte barbe de Noé ! Mais que ne le disiez-vous plus tôt ? Retournons chez cette vieille riporée, montrez-moi cette cachette !

– Patience, monsieur, c'est plus compliqué qu'il n'y paraît.

– Et, sans vouloir vous importuner, vous plairait-il de dévoiler au chef de la police, dont vous dépendez, ce qu'ouvre cette damnée clé ?

– Le réceptacle où l'on a dissimulé une seconde clé, la bonne, celle-là.

– Que signifie ce persan ? Vous plaisantez ?

154

– Non, pas une seconde. Réfléchissez, c'est logique : le chef du complot connaît le réceptacle et sa clé pour l'ouvrir qu'il a remise à Vigier. Or, si ses amis la cherchent encore, c'est pour la simple raison que le magistrat, avant de mourir, a brouillé les pistes. Et pour se protéger de leur violence, je suis convaincu qu'il le leur a dit... Conclusion, celle que nous avons prise sur sa dépouille n'est pas celle qu'on lui a confiée chez monsieur de Lagny. Quant à savoir pourquoi ses assassins ne l'ont pas trouvée sur son corps, j'en ai une idée...

Le cerveau de La Reynie retourna rapidement toutes les hypothèses :

– Ce qui veut dire que celle que votre Suédois détient... Non ?

– Si, monsieur ! Que Holbröe n'a pas la clé qui ouvre le contenant dans lequel sont dissimulées les informations sur l'attentat prévu, mais une seconde, laquelle ferme la serrure d'une cache où l'on a enfermé la première.

– Mais c'est terrible ! Deux clés, deux réceptacles, on ne les découvrira jamais.

– Si, monsieur, puisque, grâce à notre visite chez madame de Vigier, je sais où se trouvent la bonne clé et les documents.

VII

Les mailles du filet

La rue aux Ours offrait de multiples avantages. Son choix pour abriter les activités de Dieudonné ne devait rien au hasard. D'abord, elle jouxtait la rue Quincampoix où habitait La Reynie, et cette proximité pouvait se révéler précieuse ; ensuite, sa position géographique la mettait au centre de la capitale ; enfin, elle était fort fréquentée par les chalands qu'attiraient ses commerces réputés, notamment ses boulangeries qui concurrençaient en qualité celles du quartier Maubert considérées comme le *nec plus ultra* dans l'art de faire le pain.

Cette foule grouillante permettait qu'on se fonde dans sa mouvance, on y passait inaperçu. Les visiteurs qui entrèrent dans le quartier général de Dieudonné n'attirèrent donc guère l'attention des passants. Pourtant il y aurait eu lieu de s'étonner de voir tous ces gens pénétrer à tour de rôle dans cette maison, non pour leur nombre, mais pour leur aspect.

Les tout premiers à se rendre au rendez-vous furent Charonne et Atlas. Dieudonné les reçut à la cave, qu'il avait aménagée comme une salle de classe. Levé au premier chant du coq, il s'était ingénié à confectionner un tableau qu'il avait cloué au mur. Dessus, il avait tracé les contours du cœur de la capitale sur lesquels, piqués avec précision, pointaient des petits drapeaux de couleurs différentes.

– Qu'est-ce que ceci ? s'étonna Charonne, un plan de bataille ? On part en guerre ?

– Tu ne crois pas si bien dire. Attendons que tout le monde soit là, je t'expliquerai à quoi ça sert.

– En tout cas, si c'est pas utile, c'est joli, plaisanta Atlas. Du bleu pour Saint-Jacques, du blanc pour la place de Grève, du rouge pour le Châtelet... Ces couleurs se marient bien.

Bientôt huit heures, et ils n'étaient que trois, Dieudonné s'inquiéta :

– Tes amis seront à l'heure ?

– Au huitième coup d'horloge, avec précision, ils n'ont qu'une parole.

– Combien en as-tu recrutés ?

– Des centaines !

– Quoi ?

Le rire de Charonne éclata comme un tonnerre :

– Ne t'inquiète pas, Dieudonné... Ceux que tu rencontreras ce matin ont chacun des dizaines de gueux sous leurs ordres ; toute la gueuserie de Paris est déjà à observer les bottes des promeneurs, jamais pieds de chrétien n'ont été autant lorgnés qu'en ce moment même.

Ils attendirent peu. Au huitième coup de cloche de la plus proche des églises, les personnages convoqués entrèrent sans mot dire, avec une exactitude à rendre jaloux un roi. Un bref salut à Charonne et à Atlas, un coup d'œil sur Dieudonné, ils s'installèrent en silence sur les chaises disposées face au tableau. Un borgne examina le dessin avec intérêt, et, décidé à mieux le voir, ôta avec décontraction le bandeau qui lui barrait la paupière droite ; sa curiosité satisfaite, il le remit sur sa paupière gauche. Charonne ouvrit le débat :

– Truands, cagous sans feu ni lieu, salut ! Je vois que tout le monde est là, ou presque.

– Manque quelqu'un, comme toujours, ajouta Atlas.

– Ce quelqu'un a prévenu de son retard, rectifia Charonne, commençons sans lui… (Sur ce, il fit face à sa troupe, bien campé sur ses jambes, le torse bombé, manière à lui de rappeler son rôle de chef :) Vous savez tous ce qui nous réunit, je n'y reviendrai pas. Nous traquons Bottes rouges depuis des semaines, en vain, et il nous le faut ! Dieudonné, dont je vous ai parlé, propose une méthode pour le coincer.

– C'est un policier ! Comment lui faire confiance ? l'interrompit un des gueux, au visage chafouin, avec des petits yeux malins qui fuyaient dans tous les sens.

– Bonne remarque, la Grenouille ! renchérit le faux borgne, mafflu et rougeaud, en postillonnant dans les poils de sa barbe noire. Quelles garanties il propose ?

– Silence, Cyclope ! hurla Charonne. Dieudonné est couvert par le Grand Coësre soi-même, ça devrait te suffire, non ?

Une voix féminine se fit entendre derrière eux :

– Moi, ça me convient.

Une jeune femme de taille moyenne, au charme indéfinissable, rousse comme des éteules dorées au soleil, à la figure tavelée, barrait le seuil de la porte, un bras appuyé sur le chambranle :

– Mais avant tout, je vais vérifier si j'ai raison de lui faire crédit.

Elle s'avança d'un pas décidé vers Dieudonné, qui apprécia sa finesse. Quel âge pouvait-elle avoir ? Vingt ans, elle aussi, un peu plus ? Et que faisait-elle chez les gueux ? Elle portait des vêtements de bonne coupe, au contraire de ceux de l'image galvaudée de la caïmande en jupe d'Égyptienne. Avec un petit bonnet blanc sur son épaisse chevelure, sa taille corsetée avec soin, on l'aurait jurée fille de marchand ou de petit bourgeois. Il détailla son front haut, ses cils fins qui mettaient en valeur ses yeux de jade, son nez aquilin, ses lèvres minces. Elle détonnait dans cet aréopage de tire-laine, telle une rose dans une mare boueuse. Par une sorte de réflexe, Dieudonné lui tendit la paume de sa main. Ce geste lui déplut, elle le toisa avec fierté :

– Les rousses ne sont pas des sorcières, j'ignore la bonne aventure et ce qu'on t'a raconté à ce sujet, mais oublie-le si tu veux que j'entre dans ton camp.

– Je te demande pardon, je ne voulais pas te vexer.

– Regarde-moi plutôt, je veux voir tes yeux.

Il se plia à son exigence, longuement.

– Ça va, je lis dans ton regard que tu es franc. Les yeux ne mentent jamais.

Sur ce, elle alla s'asseoir avec les autres. Charonne reprit :

– Maintenant que Fleur est arrivée, nous voilà au complet.

– Fleur ? s'étonna Dieudonné, tu t'appelles Fleur ?

– Oui, répondit la jeune fille, une fleur qui a poussé entre les pavés, une fleur sans nom.

– Tu connais Fleur, à présent, les coupa Charonne, le gros de la présentation est fait. Il te reste à apprendre que le Marais lui appartient, elle en sait les moindres lézardes, celles des hôtels de la noblesse, des cloîtres ou des bordeaux. Si un fou se prend d'envie de la toucher, c'est un homme mort ; Fleur est la meilleure lanceuse de couteaux du royaume.

– Mes compliments, la félicita Dieudonné, autant surpris qu'effrayé par la personnalité de la fille qui le remercia d'une volute de la main.

– Voyons le reste de la troupe. Tu as entendu la Grenouille, l'homme du quartier Saint-Roch et des Feuillants ; impossible de trouver plus souple que lui pour sauter d'un mur ou escalader une façade.

– De même que pour se sauver d'une prison, précisa l'intéressé. Aucune n'a pu me retenir.

159

– Voici Cyclope, enchaîna Charonne, le roi des vide-goussets de Maubert à Saint-Marcel ; son œil d'aigle n'a pas son pareil pour repérer à cent pas une bourse bien pleine, son doigté n'a pas d'équivalent pour la voler.

– La preuve ! ajouta le faux borgne en lançant à Dieudonné la bourse qu'il lui avait subtilisée.

Dans l'hilarité générale, Charonne pointa l'index sur un homme aussi maigre que long, au visage allongé et pétillant de malice :

– Ducasse ! Il vient d'Arras où il en a eu assez d'être espagnol le matin et français le soir. Dans son surnom résonnent les fêtes de son pays pour la dédicace des saints. Il parcourt les rues de Saint-Germain avec son violon, du palais Mazarin à l'hôtel Luxembourg et aux Carmes ; c'est un artiste, on le convie à jouer dans les salons où il voit, il entend, il retient tout. On ne prend pas garde aux baladins...

Ducasse salua comme au théâtre :

– Que de secrets s'harmonisent avec la musique... Le dernier date d'hier, ouï en l'hôtel de Lesparre sur un air de Mouliné : monsieur de Condé préparerait un projet d'invasion en Franche-Comté qu'il soumettrait au roi en cas d'échec des armées de Turenne dans les Flandres... Si-mila-ré-sol-do-fa ! Que de bémols à la plus élémentaire des discrétions dans ces palais bavards, l'espionnage y est un jeu d'enfant sans la moindre graine de piment.

Et il ponctua sa déception par une série de trilles tirés de son instrument. Charonne prit une pose extatique pour présenter la dernière de ses recrues. Il est vrai que le personnage surprenait par sa tenue, puisqu'il portait le costume des curés [1] sur un corps massif mais bedonnant, et la calotte sur une tête carrée qui affichait ses cinquante printemps :

1. La soutane n'existait pas à l'époque.

– Monsieur Saint-Gris... Son ventre lui a valu ce surnom.

– Êtes-vous prêtre ? lui demanda Dieudonné, stupéfait.

– Oui, mon fils, mais je n'en suis pas moins homme, particularité qui a chagriné mon évêque. Voyez-vous, j'aime Dieu, mais aussi ses créatures, et surtout celles du beau sexe, objet de ma perte. La fureur de monseigneur Pavillon ne m'a pas laissé d'autre choix que la paroisse des sans-aveu.

À l'évocation du nom de l'incorruptible évêque, Dieudonné comprit mieux :

– Et sans concession comme on le dit, il vous a chassé ?

– Non, je me suis enfui avant de subir sa loi. J'appartiens toujours à l'Église. Je porte la bonne parole des Halles à la cour des Miracles où un curé manquait furieusement aux âmes en peine qui la peuplent. Je porte aussi des messages. Mon costume me préserve, ils parviennent toujours à leurs destinataires.

Dieudonné devina qu'il incombait à Saint-Gris d'assurer la liaison entre le Grand Coësre et tous ces gens. Charonne conclut :

– Voilà, je t'ai présenté mon équipe. Tu sais déjà qu'avec Atlas je contrôle les îles et les ponts sur la Seine, tu as ici réunis tous les gueux qui surveillent Paris. Compte sur chacun de nous... Du moins pour le temps de cette affaire.

– Comme je vous assure, à mon tour, de ma loyauté.

Dieudonné fixa bien Fleur en prononçant sa profession de foi.

– Alors, par quoi commençons-nous ? questionna Charonne en s'asseyant, il paraît que tu as un plan, dévoile-le-nous, on te dira ce qu'on en pense.

Par manie, Dieudonné croisa les mains dans son dos. Il marcha de long en large, organisa ses pensées avant de démarrer :

– Bon. Nous cherchons tous à mettre la main sur Bottes rouges. Par trois fois certains d'entre vous l'ont aperçu et ont perdu sa trace. Puis-je savoir qui ?

Un temps s'écoula avant que les mains ne se lèvent :

– Moi, dit Atlas. Ça se passait sur le pont aux Changes, côté Châtelet. Après sa rencontre avec Vigier, Bottes rouges a marché lentement vers l'Hôtel de Ville et, soudain, il a disparu en sautant sur les berges du port de Grève, comme ça, sans raison. On s'est précipités, mais ça a été impossible de le dénicher parmi tous ces bateaux. Mais sûr, parole de nain, il n'a pas refranchi le pont.

– Pareil, ajouta la Grenouille, il est parti de Saint-Jacques vers le Louvre, puis, subitement, il a tourné vers les quais en coupant par Saint-Germain-l'Auxerrois. Là, plus de trace du bonhomme ! On l'a cherché au bord de l'eau et vers les Grands-Augustins, mais rien ! Évanoui, plus personne !

Fleur témoigna la dernière :

– Comme les amis m'avaient prévenue des méchants tours de Bottes rouges, j'avais fait encercler tout le quartier de l'Hôtel de Ville. Il pouvait pas remonter par Saint-Antoine sans qu'on le voie. Par précaution, j'avais aussi posté des gueux et des ribaudes sur les quais jusqu'en face de Saint-Bernard, c'est dire le déploiement !

– Et comment t'a-t-il échappé ?

– À peu près de la même façon que pour Atlas, il a longé les berges dans la nuit, il a sauté, pfouif ! On a perdu sa trace vers le Châtelet. Un vrai fantôme.

Ducasse toussa pour indiquer qu'il désirait intervenir :

– On m'a rapporté ta belle théorie, Dieudonné. Pour toi, Bottes rouges a franchi la Seine à chaque coup qu'on l'a laissé filer. M'est avis que tu dois renoncer à ta jolie thèse, parce que t'oublies que de l'autre côté, rive gauche, par Buci et Nesle, je l'attendais ferme avec les amis… Et je l'y attends toujours.

– Idem pour moi, renchérit Cyclope, je planquais aussi rive gauche, en amont de Ducasse, et j'ai jamais vu l'homme. Je partage l'opinion du violoneux, mon garçon, tu te fourres le doigt dans l'œil, et je m'y connais !

Dieudonné resta insensible aux moqueries, il n'en avait cure, seule son analyse comptait :

– Pourtant, j'ai raison. Je sais pourquoi, mais pas encore comment.

– Ça, c'est un homme qui pense bien ! persifla Fleur.

– Parfaitement, répliqua-t-il sans se démonter, et je vais vous le prouver. (Il traça un rectangle autour de son plan et plaça une série de points sur la ligne horizontale du bas et sur la ligne verticale de gauche :) Ces traits s'appellent des ordonnées [1], je note les points à gauche de un à dix. Comme ceci… Et ceux du bas A, B, C, jusqu'à J. Ainsi, je quadrille mon plan…

– Ah ouais ! se moqua Ducasse, c'est avec tes petits carreaux que tu comptes retrouver Bottes rouges ? On me l'avait pas encore joué, cet air-là !

Les autres se fichaient ouvertement de lui au point que Charonne ne savait plus quelle attitude adopter. La règle chez les gueux étant de s'imposer, il considéra qu'il n'avait pas à rétablir l'ordre. Dieudonné devait convaincre sans son aide, ce à quoi le jeune homme s'employa :

– Un peu de silence et d'attention, s'il vous plaît. Fleur, guide ma main dans le trait que je dessine. Bottes rouges est bien parti de cet endroit, en B3 ?

– Oui, confirma-t-elle en hoquetant, prête à s'étouffer.

– Et après, si j'ai bien compris, il est allé par ici ?

– Exact, continue en… C4 !

Elle eut du mal à poursuivre, tant elle riait.

1. Les ordonnées étaient connues en 1658. Les abscisses apparurent en 1693.

Imperturbable, Dieudonné établit le tracé du chemin de Bottes rouges. À la dérobée, il vit Fleur faire un signe avec le doigt sur la tempe pour montrer qu'elle le prenait pour un fou. Une fois qu'il en eut fini avec elle, il recommença avec la Grenouille qui ne se comporta pas mieux. Enfin, toujours placide, il interrogea Atlas, un peu plus modéré, mais sceptique sur la finalité de l'exercice. Songeur, il considéra l'ensemble du graphique puis posa une question à la cantonade :

— Avez-vous vérifié les carrosses, les chaises à porteurs, tout ce qui roulait quand vous avez suivi Bottes rouges ?

— Non, mais, qu'est-ce que tu crois ? répondit Ducasse, goguenard. Il n'y a pas un particulier qui nous ait échappé.

— Particulier... Oui...

Fleur se leva :

— Allez, arrête cette plaisanterie, tu n'en sais pas davantage que nous. À t'entêter, tu vas perdre la raison.

Le visage de Dieudonné s'illumina d'un coup, il claqua des doigts :

— Raison ! Raison. Assieds-toi, Fleur, lui commanda-t-il, et médite cette pensée de Pascal : « Deux excès : exclure la raison, n'admettre que la raison. »

— Dieudonné, tu as la fièvre, répliqua-t-elle.

— Je le reconnais, mais la fièvre de celui qui a trouvé la solution. *Eurêka !*

— Hein ?

Elle l'examina des pieds à la tête, les autres se figèrent ; Cyclope mit son bandeau de côté pour l'observer sous un autre angle :

— T'as trouvé quoi ?

— Comment notre homme s'est enfui et par où. Cartésien, mais avec l'aide de Pascal, de l'école adverse, n'en déplaise aux puristes.

Les rires s'étaient tus. Charonne respira de soulagement. Ce fut lui qui continua :

— Vas-y, explique-nous ce mystère.

Dieudonné se planta devant le groupe comme le faisaient ses professeurs à l'Oratoire de Vendôme pour donner une leçon :

— Par deux fois je vous ai cité le nom de Pascal, non sans motif. La première, avec son discours sur la raison, aurait dû vous mettre sur la voie... Pas de réaction ?... Bien ! alors voilà : nous cherchions tous à comprendre, dans l'excès, comment Bottes rouges pouvait bien passer la Seine et, à trop se concentrer sur les moyens fluviaux, on en avait oublié les terrestres. Or, c'est bien par la terre qu'il est reparti, rive gauche, j'insiste sur ce point, sans que vous ne vous en soyez aperçus.

— Impossible ! cria Ducasse, on l'aurait vu !

— À pied, je l'admets, ou dans le confort d'un des véhicules que vous surveilliez. Mais vous en avez négligé un de taille, et, là aussi, ce cher Blaise Pascal nous éclaire sur cet oubli, second point pour lui. Quelqu'un entrevoit la solution ?... Non ?... Toujours personne ?... Facile, pourtant !

Il passa dans leurs rangs en se cognant à Cyclope :

— Mille excuses. Ben tiens, justement, toi, réponds ! Tu es pourtant concerné.

— Est-ce une farce ?

— Nullement, et pour cette fois je t'aide !... Examine bien ces trois tracés sur le tableau, ils te montrent une évidence frappante.

Cyclope haussa les épaules, creux comme une huître vide.

— Oui ! s'exclama Fleur qui commença à considérer Dieudonné plus sérieusement. À chaque fois, Bottes rouges disparaît dans le carré C7.

– C7 ou B12, quelle importance ? Foutaises ! grogna la Grenouille.

– Elle en a une, mon fils, rétorqua Saint-Gris, concentré sur le plan. Malheureux celui qui refuse la lumière, il errera dans les ténèbres.

– Une importance considérable, poursuivit Dieudonné, j'en reviens à Pascal. Savez-vous ce que ce noble esprit a créé, outre quelques écrits contestables à mes yeux et des traités de mathématiques de haute qualité ? Il s'agit pourtant d'une invention importante pour les Parisiens.

– Allez, accouche !

Là, ce fut Charonne qui craqua.

Dieudonné triomphait ; il poursuivit sur le même ton professoral :

– Il a eu l'idée des transports en commun. Il y a cinq ans, ses amis, messieurs de Rouanès, de Sourches et de Crenan ont financé son projet, avec l'assentiment de notre bon roi.

– Alléluia ! J'ai compris !... Les lignes ! Les lignes ! s'enthousiasma Saint-Gris.

Le jeune homme salua sa perspicacité :

– Oui, mon père : l'une de leurs cinq lignes part de la rue Saint-Antoine pour le Luxembourg en passant par le Pont-Neuf, précisément en C7 ! En fait, Bottes rouges voyageait le plus simplement du monde dans un carrosse à huit places, sous votre nez et pour cinq sols ! Vous épiiez les voitures particulières ou de louage, voilà l'erreur ! Notre homme appliquait la recommandation qui consiste, pour bien se cacher du monde, à se mêler à lui ! (Les gueux firent courir leurs yeux, dans un bel ensemble, du tableau noir à Dieudonné dont ils ne se moquaient plus.) À chaque fois il vous a égarés en vous attirant sur les berges ou sur les quais. En fait, ses évolutions consistaient à guetter l'arrivée du carrosse de cette ligne qu'il rejoignait en deux enjambées. Une consolation, toutefois : rien ne prouve qu'il se savait suivi, je pense même qu'il ne vous a pas remarqués, sinon il s'y serait pris autrement pour aborder Vigier.

Aux quolibets succéda un profond respect pour la force de déduction de Dieudonné. Cyclope n'en refermait plus la mâchoire :

– Les carrosses à cinq sols. C'est vrai que j'ai pas vérifié de ce côté.

– Moi non plus, admit Atlas, c'était trop gros.

– Les barques, les vinaigrettes, j'ai tout retourné, sauf ça ! Quelle idiote ! s'emporta Fleur, furieuse contre elle-même.

– J'ai même pensé qu'il avait installé une corde sous un pont pour le traverser, avoua la Grenouille. Dame ! moi j'en suis bien capable.

Dieudonné mit un terme à leurs lamentations :

– Passons à l'exercice suivant, si vous le voulez bien. (Plus une voix ne s'opposa à ce qu'il prenne en main les opérations, il avait conquis le pouvoir, au grand bonheur de Charonne :) Ceux qui ont vu Bottes rouges peuvent-ils me le décrire ?

– Un grand sec, portant un feutre, enveloppé d'une cape à l'ancienne mode, répondit Fleur.

– Et une balafre ici, indiqua Atlas.

– Tu te goures, ergota la Grenouille, il l'a à droite.

Une dispute s'ensuivit où chacun défendit son point de vue, fit état de ses capacités, de ses références, de son savoir-faire…

– Arrêtez ! Ça suffit ! (La colère de Dieudonné figea les querelleurs. Il leur fit signe de s'asseoir :) Je vais vous poser une question très simple : les gueux qui sont sous vos ordres ont-ils, eux aussi, vu Bottes rouges ?

Sans hésiter, Cyclope avoua :

– Déjà, je l'ai jamais eu face à moi, j'ai juste une idée de ce à quoi il ressemble avec ses bottes en couleur. Alors, pour mes gars…

– Pareil, confirma Ducasse, il a plutôt sévi outre-Grand Pont et pas vers chez nous.

Puisque les gens de la rive gauche ne savaient pas le décrire, et que ceux de la rive opposée se disputaient sur l'exactitude de son physique, Dieudonné sortit le portrait qu'il avait exécuté de Bottes rouges sur les indications de La Reynie :

– Regardez bien, est-ce lui ?

Tous ceux qui avaient opéré de manière rapprochée avec l'homme furent estomaqués. Charonne en jura :

– Foutre du diable ! Mais c'est tout à fait sa gueule, à ce chien galeux !

– Comment as-tu eu ce portrait ? s'étonna Fleur. C'est de la magie.

Loin de se rengorger, Dieudonné continua sans écouter les compliments, fixé sur son objectif :

– Vous le reconnaissez donc tous dans ce dessin ?

– Sans hésiter, confirma Atlas.

– Eh bien tant mieux, ça nous facilitera les recherches. Tenez, j'en ai exécuté une série de copies que vous allez montrer à vos troupes. De cette façon tout le monde saura à quoi ressemble notre homme, on ne se perdra pas sur des pistes hasardeuses.

Il procéda à la distribution à des gueux admiratifs.

– Dieudonné, tu es un génie, le flatta la Grenouille.

– Je me fichais de toi avec tes petits carrés, mais j'avais tort, avoua Fleur, repentante. On gagne à te fréquenter. Dommage.

– Dommage quoi ?

– Que je ne sois pas pour toi. Je t'aurais peut-être manifesté mes regrets d'une façon plus intime, mais ça ne risque pas d'arriver, Dieu m'en garde, même si tu es beau garçon.

Dieudonné ne comprit pas ce que ses propos cachaient ; il décida d'éviter le sujet dans l'immédiat :

– Voici maintenant ma stratégie. Pour l'appliquer, je vous prie de prendre chacun la plume et la feuille de papier posées devant vous. (Dans un bel ensemble studieux, les gueux lui obéirent.) Pour chaque carreau dessiné sur mon plan, vous nommerez un responsable de secteur qui, à son tour, le divisera pareillement en sous-territoires contrôlés par des patrouilleurs.

– Fort bien pensé, le félicita Saint-Gris. Original comme méthode.

– Non, mon père, le reprit Dieudonné, scientifique ! Je ne fais qu'appliquer, à une modeste échelle, les travaux cartographiques de Gerardus Mercator.

Charonne siffla, impressionné par tant de culture.

– Ceci posé, en termina Dieudonné, je désire que chaque ligne des carrosses à cinq sols soit constamment surveillée ; je reste persuadé que Bottes rouges est un familier de ce moyen de transport.

– Je m'en charge, promit Atlas.

– Enfin, il convient de former deux équipes consacrées à la surveillance, jour et nuit, de madame de Vigier et de monsieur de Lagny. Voilà, j'en ai fini. Bien entendu, toutes les informations passeront par Charonne.

La petite troupe acheva de reproduire les carreaux sur les feuilles de papier et se leva pour repartir. Cyclope lui tira son chapeau :

– Dieudonné, tu as l'étoffe d'un maréchal. Juste un conseil, dans l'avenir, fais plus attention à ta bourse.

– Toi aussi ! lui répliqua le jeune homme en sortant un sac d'écus qu'il lui lança. C'est ce qu'on appelle la réponse du berger au loup.

Le faux borgne contempla sa bourse, médusé :

– Boh ! Comment t'as fait ?

– En te bousculant tout à l'heure. On pratiquait le jeu du larron, à Vendôme. Avec mes camarades on cousait à nos poches des petits grelots que le voleur ne devait pas faire tinter sous peine d'un gage.

Les autres s'amusèrent du tour ; Cyclope, beau perdant, lui serra la main :

– Sois certain que je repars convaincu de tes capacités... T'es sûr de vouloir continuer dans la police après cette affaire ?

– Résolument.

– C'est bien ce que je craignais.

Pour la première fois, Charonne le prit dans ses bras pour l'embrasser sur les joues à la manière des garçons. Fleur lui adressa un sourire, les autres lui donnèrent une tape amicale sur l'épaule, à l'exception de Saint-Gris qui le bénit.

Dieudonné resta seul.

Le calme revenu, une porte s'ouvrit au fond de la pièce.

– Danglet, je vous adresse mes compliments, vous avez réussi un joli tour.

– Avec un peu de logique, monsieur, le problème était facile à résoudre.

La Reynie s'avança vers le tableau :

– Pour la prochaine fois, je vous saurais gré d'aménager ce réduit. Il est parfait pour tout entendre et observer, mais il manque de confort.

– J'y veillerai, comptez sur moi.

Le lieutenant de police s'attarda devant le tableau :

– Habile, ce quadrillage de Paris. Vous connaissez donc les travaux de Mercator, ses notions de latitude et de longitude. C'est bien.

– Hipparque les savait avant nous, monsieur, l'Oratoire me l'a enseigné.

La Reynie sourit à l'étalage de ces jeunes connaissances :

– Et à présent, comment comptez-vous procéder ?

170

– Dans l'esprit de notre savante conversation, faire appel aux travaux de Nonius en usant des ressources des orthodromies pour agir très vite.

Dieudonné était indécrottable.

– Orthodromies ? Diable ! beau programme... Mais encore, monsieur le mathématicien ? Je n'entends rien à ce principe.

– Cette science, monsieur, consiste à emprunter le chemin le plus court pour aller d'un point à un autre.

*
**

Lamoignon considéra son visiteur avec bienveillance :

– Mon cher Lagny, ce que vous me rapportez m'afflige, croyez-moi bien, mais la procédure n'a rien d'illégal, Monsieur de La Reynie n'a pas outrepassé le cadre de ses fonctions, ni enfreint le droit.

L'avocat se crispa, des rides d'indignation sillonnèrent son visage gras ; il redressa son corps sphérique enfoui dans un fauteuil cramoisi pour mieux manifester sa colère :

– Mais il s'agit d'une personne de condition, la veuve d'un magistrat assassiné ! Il eût pu mettre quelque forme à sa démarche ! Enfin, débarquer chez elle avec la troupe ! Imaginez dans quel état cette pauvre femme se trouve, elle ne se remet pas de l'émotion. La Reynie se conduit bien pis qu'un faquin ! Quel rustre !

Le président du Parlement laissa passer l'orage avant de répondre avec calme, animé d'un esprit d'apaisement :

– Vous connaissez l'adage : « les amis de nos amis sont nos amis », aussi je vous prie de croire à ma volonté de vouloir servir le parti de madame de Vigier. Mais ici je ne peux rien tenter de tel, le lieutenant de police de Paris n'a pas commis d'acte répréhensible, on ne peut donc l'attaquer pour vice de procédure.

Lagny croisa nerveusement les saucisses qui lui servaient de doigts :

– Que faire, alors ?

– Pour tout potage : rien. Attendons, il se calmera en découvrant les assassins.

Dans un sourire où tout le sens du mot « malsain » s'exprima sans retenue, Lagny railla sur cette éventualité :

– Si toutefois il y parvient un jour… ou à temps.

– À temps ? s'étonna Lamoignon en fronçant les sourcils.

Son visiteur ironisa :

– À temps pour lui, monsieur le président, car rien ne nous interdit d'espérer que le roi vienne à partager nos idées, touché enfin par la grâce divine. Auquel cas, les réformes qui s'ensuivront chasseront les La Reynie et autres mal-pensants.

– Puisse Dieu répondre à cette attente, soupira Lamoignon avant d'étouffer une vilaine quinte de toux.

Coincé dans son fauteuil, Lagny, en homme au fait des usages, regarda ailleurs pour ne pas gêner son protecteur. Ses gros yeux naviguèrent sur les vagues des tapisseries de son cabinet de travail.

On frappa discrètement à la porte.

– Oui ! lança Lamoignon à moitié asphyxié.

La tête d'un commis apparut.

– Qu'y a-t-il, Harbogast ?

– Monsieur le duc de Chevreuse est arrivé, monsieur le président.

– Bien, bien, Harbogast, faites-le entrer, ordonna-t-il en s'étouffant.

Lamoignon, en pleurs, se versa un verre d'eau qu'il but en se frappant la poitrine. Lagny proposa :

– Puis-je vous porter secours en quoi que ce soit ?

– Non, mon ami, merci… J'ai l'habitude, cela va passer.

Et en effet, sa toux s'apaisa pour faire place à un raclement de gorge final auquel répondit celui du duc de Chevreuse qu'Harbogast avait introduit.

– Mon cher duc, nous voilà bien en peine avec nos maux.

– Cela prouve que nous partageons bien des combats, plaisanta le nouveau venu.

Par une légère flexion du buste, Lagny salua le visiteur.

– Lagny, vous ici ? Quelle agréable surprise.

– Vous me flattez, monsieur le duc.

– Non point, j'ai toujours plaisir à rencontrer des visages amis. Vos affaires vont-elles comme vous le souhaitez ?

– Il convient parfois de les remettre sur la bonne route d'où elles s'écartent, et, ces derniers temps, je ne cache pas ma satisfaction d'avoir pu rétablir quelque situation au trajet compromis.

– J'en suis fort aise, mon cher Lagny, fort aise.

– Et j'avoue que, dans les désordres subis, monsieur de La Reynie nous donne bien du travail.

– La Reynie ?

Sur ce, un nouvel embarras de gorge le gêna pour poursuivre, imité aussitôt par Lamoignon. Le gros avocat sortit une tabatière de sa poche :

– Bien que nos principes en interdisent la pratique, je me permets de vous proposer de pétuner. La médecine nous recommande le tabac pour calmer ces irritations.

Sans chercher davantage d'excuses à leur vice, tous trois entreprirent de se gaver les narines, comme les cochons de glands, avant de poursuivre leur conversation...

Quelques heures après la fin de cet entretien, le soir même, un carrosse s'arrêta aux abords d'une ferme des Champs-Élysées, près de Paris.

Les chevaux, fourbus, apprécièrent cette halte ; depuis Saint-Germain ils tiraient l'attelage sans un seul instant de répit.

Un homme d'âge mûr posa son soulier avec précaution sur le marchepied. La nuit, aussi noire que le plumage d'un geai, ne lui permettait pas de bien voir, il caressait ainsi la prudence dans ses moindres gestes.

Une fois ses deux jambes solidement campées sur la terre ferme, l'homme oublia ses hésitations. À pas lents, mais d'une démarche assurée, il se dirigea vers un groupe de tilleuls en floraison, à quelques toises d'une étable isolée.

Il s'arrêta soudain. Personne. Pas un bruit.

– Monsieur… Monsieur ? hasarda, peu après, une voix près de lui.

Le promeneur fixa son attention sur l'un des arbres au houppier maigre :

– Oui, Harbogast, vous pouvez venir.

Le bonhomme sortit de sa cachette en s'abîmant dans une courbette que celui à laquelle elle s'adressait ignora pour demander sans tarder :

– Alors, Harbogast, quoi de nouveau au Parlement, dans ce repaire de frondeurs ?

– On s'y agite, on reçoit, on s'inquiète, on parle beaucoup des agissements de monsieur de La Reynie.

– Voyez-vous cela ! Dites-moi tout, Harbogast.

Le serviteur de Lamoignon ne se fit pas prier. Il raconta tout ce qu'il savait, ce qu'il avait entendu à son interlocuteur attentif qui ne l'interrompit que par de brèves manifestations d'une gorge irritée.

– Bien, Harbogast, le complimenta ce dernier une fois son rapport achevé, je vous félicite pour la justesse de vos précisions. Tenez.

Et il lui remit une bourse bien garnie.

– Merci, Monsieur, je reste votre dévoué serviteur.

174

L'homme mûr connaissait le prix du mot « dévoué », il sourit en amateur éclairé avant de retourner à son carrosse.

Il n'eut pas besoin de donner d'ordre, le cocher fila droit vers l'hôtel de son maître, rue Neuve-des-Petits-Champs.

Ah ! comme monsieur Colbert appréciait de ne pas se perdre en ordres futiles. Il s'installa confortablement pour mieux réfléchir au jeu de la trahison et de l'inconstance des hommes.

De Saint-Germain à la porte Saint-Antoine, de Saint-Martin à Saint-Marcel, les faubourgs furent écumés par la racaille à l'affût. Personne ne sut jamais à quel point les gueux mirent du cœur à chercher l'homme aux bottes rouges, avec quelle détermination ils entreprirent de le traquer afin d'éviter un massacre sans nom.

Mais il est vrai que ces crève-la-faim savaient le goût du malheur, son âcreté ne quittait jamais leur langue, et, hélas, il faut bien avouer que ce sont toujours les mauvais pauvres qui donnent.

Là, ils offraient leur vie pour sauver celle des autres – ce sont rarement les riches qui font la guerre, ou alors pour une prébende ou un bâton de maréchal –, ils faisaient don de leur temps, mangeant quand ils le pouvaient, toujours à guetter l'homme dans les six cents rues de la capitale et autres lieux publics. Ils surveillèrent ainsi les jardins, couchant dans le froid des massifs de l'Arsenal ou de Condé ; ils occupèrent les berges de la Seine et de la Bièvre, ils ne quittèrent plus l'entrée des églises, poussèrent leur gardiennage jusqu'aux grands chantiers de l'Observatoire et du collège des Quatre Nations qui s'élevait à la place de la vieille tour de Nesle. Bref, ils ne négligèrent aucune piste.

On les vit à la sortie des théâtres, au jeu de la Croix noire où avait débuté Molière, au Palais-Royal où il faisait carrière, à l'hôtel de Bourgogne proche des Halles, et au jeu de paume du Marais, Vieille rue du Temple, où Racine avait monté *Le Cid.*

Les mille huit cents tavernes et bouchons de la capitale furent ratissés de la sorte et, pour rapprocher le temporel du spirituel, les quelque cent vingt couvents eurent droit à la même attention. La ville ne comptait pas loin de trois mille enseignes ! On trouva les ressources pour contrôler leur clientèle. Un groupe fut affecté au Parlement où, dans la grande salle du palais, grouillait sans cesse une foule énorme autour de ses quatre cents boutiques et échoppes. Les académies et les manèges de Saint-Germain furent l'objet de soins attentifs ; on pensa même à jeter un œil du côté des collèges et des universités... En résumé, pendant trois jours, la gueuserie mit en branle la plus vaste chasse à l'homme que Paris ait connue, mais dans l'anonymat de son histoire.

Matin et soir, Charonne recevait ses officiers ; aucun n'apportait la nouvelle qu'il attendait : Bottes rouges ne sortait plus. On décida, recours ultime, de battre les cimetières, en pure perte. Où donc se terrait ce diable d'homme ?

En ce dimanche 24 avril, dans le froid de la matinée aux intentions incertaines quant au temps qu'elle offrirait aux Parisiens, un homme avança rapidement dans la rue Chasse-Midy vers la maladrerie de Saint-Germain. On eût pu penser qu'il allait bifurquer vers Vaugirard − un personnage de sa condition dont on se doutait, à voir ses habits de prix, qu'elle se plaçait haut, ne pouvait se rendre vers pareil endroit –, mais non, il poursuivit droit devant. Et cette direction le conduisait chez les lépreux.

Pour que nul ne le reconnaisse, il avait pris le parti puéril de se couvrir le visage d'un mouchoir, mais il dut de ne pas être remarqué à l'heure matinale qui dépeuplait les rues, surtout un dimanche.

Non sans appréhension, il pénétra dans la maladrerie ; la municipalité ne s'occupait guère de cet enclos ; y venaient ceux dont les moyens ne leur permettaient pas de s'offrir une place au Roule, l'autre léproserie de Paris, fort bien contrôlée par le corps médical. De ce fait, ce qui se passait ici, qui s'y réfugiait demeuraient pour l'administration des inconnues d'une algèbre maudite. La population, comme elle, évitait d'approcher ce quartier redouté.

L'homme alla droit vers une cabane où il frappa en appelant :

– Pérols ! Ouvrez, c'est moi !... *In cauda venenum.*

La porte à moitié vermoulue grinça ; des bottes rouges, par prudence, la coincèrent ; une tête balafrée apparut, méfiante :

– Monsieur ? Que faites-vous ici ? Que se passe-t-il ?

– Laissez-moi entrer, on peut nous voir.

– Quand bien même, on ne risque rien, ici. Que voulez-vous que les lépreux aillent raconter ? Et à qui ?

L'homme élégant entra dans la pièce unique où voisinaient une paillasse, une table, une chaise, un peu de nourriture et quelques ustensiles nécessaires à la toilette. Jésus sur sa croix ornait les murs en planches disjointes.

– Franchement, Pérols, vous auriez pu trouver une cachette moins périlleuse, on y fréquente la contagion.

– Sans doute, monsieur, si on ne prend pas les précautions voulues. Mais Dieu me protège, je n'éprouve ni crainte ni répulsion à loger céans, je sais que nul n'osera s'aventurer dans cet antre pourri pour m'y chercher ; l'horreur qu'il inspire, la frayeur qu'en ont les gens forgent ma meilleure garantie.

L'homme se racla la gorge :

– J'avoue appartenir à leur nombre, mais il fallait que je vous voie sans tarder ; cela fait trois jours que je veux vous parler d'éléments nouveaux.

– J'appliquais la consigne, monsieur, à savoir rester discret jusqu'à mardi prochain, pour la phase active de notre plan. Je n'ai donc pas bougé. Mes hommes procèdent de même en restant chez eux.

– Certes, la prudence convient à notre entreprise, je ne peux que vous donner raison. Toutefois, mon informateur du Châtelet m'a alerté avec beaucoup de gravité, il nous conseille de renforcer notre vigilance.

– Pourquoi donc ?

– La Reynie lui semble fort sensible à la mort de Vigier et de Dupuy. Il remue son monde dans cette affaire, notamment un dénommé Desgrez, un jeune exempt pugnace, qu'il a emmené avec lui chez madame de Vigier.

– Le lieutenant de police se serait-il déplacé chez elle en personne ?

– Oui, Pérols. Malgré nos efforts pour faire accuser Dupuy, La Reynie n'a pas classé le dossier, l'enquête continue. On bavarde beaucoup sur ses très secrets et nombreux déplacements.

– Que craignez-vous, monsieur ?

– Je connais La Reynie depuis assez longtemps pour me méfier de ses réactions. C'est un homme intègre, droit, fidèle, mais c'est surtout un homme de dossiers qui n'aime pas les clore quand il sent qu'une pièce lui fait défaut. Il compense son manque de génie par un sens aigu de l'ordre, il rejette l'intuition pour privilégier les faits. Aussi, s'il persiste dans son enquête, c'est parce qu'il a forcément des élé-

178

ments propres à alimenter son doute, ou encore des traîtres qui le renseignent.

Pérols se crispa d'indignation :

– En tout cas, pas chez moi, monsieur, je garantis la loyauté de chacun de mes hommes.

La gorge du visiteur s'irrita, il la contraignit :

– Le ciel vous entende. Il n'empêche que je suis inquiet ; méfiez-vous, Pérols, mon flair ne me trompe jamais.

Pérols rejeta ces craintes par un fait concret :

– Mardi soir nous aurons déjà frappé, monsieur. Le « forestier » sera éliminé suivant nos plans ; La Reynie aura d'autres chats à fouetter.

– J'aimerais que cette première phase soit terminée. En attendant, je vous prie d'aller inspecter vos troupes une dernière fois, de causer avec chacun, de sentir si l'un d'eux a pu parler. Question de nez.

– Vous m'obligez donc à sortir de ma retraite ?

– Pour la bonne cause, Pérols, et je vous sais discret pour ne point vous faire remarquer, nonobstant vos fameuses bottes rouges.

– Sujet non négociable, vous savez que je ne les quitterai jamais.

– Oui. C'est votre façon de ne pas oublier le massacre des vôtres.

– Par les parpaillots... Ils ne paieront jamais assez cher l'horreur que j'ai connue à marcher dans le sang de mes parents qu'ils ont massacrés.

Ils se turent pour respecter ce souvenir. L'homme reprit :

– Quant au plan « Phébus », où en est-on ?

– La servante s'en occupe seule. De leur côté, pour « l'orphelin », ces dames vont voir l'abbé ce soir à Saint-Denis, le lundi est devenu trop risqué.

– Qui conduira madame de Vigier ?

– Elle voyagera dans le carrosse de la marquise, voisine de la rue du Foin. Le sien est trop repérable par les temps qui courent. Nicolas les conduira, sous le couvert d'une autre livrée. Il a été parfait pour m'aider à, comment dire ?… « congédier » le personnel de Madeleine de Vigier – elle-même n'a aucune idée de ce qu'il est advenu de ses gens. J'ai d'ailleurs nommé Nicolas à la tête de la troupe qui, mardi, exécutera le « forestier », premier de la liste.

Le visiteur approuva Pérols. Il se racla la gorge avant de reprendre :

– La marquise a-t-elle bien compris qu'elle devait seulement mettre madame de Vigier en rapport avec l'abbé, sans plus se mêler de la suite ? Je tiens personnellement à ce que « l'orphelin » crève à petit feu. Saura-t-elle choisir le poison approprié, puis-je être sûr d'elle ?

– Comme toujours, monsieur, le passé nous a prouvé que nous pouvions compter sur ses capacités. Son besoin d'argent n'a d'égal que son manque de scrupules pour en gagner, son père en a fait les frais, à ce que je sache.

L'homme réfléchit :

– Il faudra qu'elle songe un jour à s'occuper de La Reynie. Après tout, sa spécialité n'est-elle pas la police ?

Et tous deux rirent à ce trait d'esprit.

Dieudonné trouvait à ce dimanche un goût amer. Le vin qu'il buvait, le jambon qu'il mangeait, et même l'hostie à la grand-messe lui avaient laissé une certaine amertume dans la bouche. Depuis trois jours il se morfondait rue aux Ours, à attendre un message de victoire qui n'arrivait pas. Bottes rouges avait disparu du paysage.

La Reynie lui avait rendu visite dans l'après-midi. Il commençait, lui aussi, à trouver le temps long, inquiet de la

mauvaise tournure que prenaient les événements. Dieudonné n'avait pas apaisé son angoisse :

– Monsieur, avec l'armée de sans-aveu qui sillonne la
capitale, un rat ne passerait pas inaperçu. Nombreux sont
les gueux protestants que les fanatiques ont chassés de chez
eux avec violence ; je ne crois pas que nous ayons à douter
de leur vigilance ou de leur enragement à trouver Bottes
rouges.

– Alors s'ils ne le trouvent pas, qu'est-il devenu ? Vit-il
encore, seulement ?

La réponse de Dieudonné ne lui ôta pas ses doutes :

– N'oublions pas que les comploteurs projettent d'attaquer un fort. Rien ne nous dit que ledit fort soit à Paris ou
dans ses environs. Peut-être est-il situé dans nos
provinces ? Auquel cas, Bottes rouges est déjà sans doute
sur place pour commettre son méfait... Mais où dans ce
vaste royaume ?

Le lieutenant de police l'avait quitté fâché, mais qu'y
pouvait-il ? Il lui avait bien suggéré de questionner une fois
de plus Madeleine de Vigier, voire de lui laisser carte
blanche pour aller l'effrayer avec Charonne afin de lui tirer
quelques bribes de vérité ; mais La Reynie n'avait rien
voulu entendre. Il ne possédait pas assez de cartes
gagnantes pour rendre l'intrigueuse plus bavarde ; il imagi-
nait par ailleurs les conséquences désastreuses de l'échec
d'une telle expédition : la veuve d'un magistrat malmenée
par des sans-aveu, quel scandale ! Le roi ne le lui pardon-
nerait pas, mais Dieudonné ignorait que Sa Majesté en
savait beaucoup sur ses activités.

La nuit avait recouvert Paris. Dieudonné relisait les
Essais de Montaigne : lecture de circonstance, il passait lui
aussi par divers états d'esprit. Un bruit de pas qui grim-
paient l'escalier le fit sursauter. Atlas, surexcité, entra en
trombe :

– Dieudonné ! Dieudonné ! Viens vite, suis-moi ! Il y a du nouveau !

– Bottes rouges ? interrogea-t-il, presque soulagé.

– Non, hélas, pas lui. Mais la Vigier a quitté la rue du Foin, et tu ne devineras jamais chez qui elle est allée.

Dieudonné suggéra le nom de monsieur de Lagny.

– Perdu ! hurla le nain. Elle est chez la marquise de Brinvilliers !

– La sœur du lieutenant de police criminelle, l'ennemi juré de La Reynie ?

– Tout juste ! Et à ce qu'on a pu deviner, elles se préparent à voyager en carrosse, il y en a un qui les attend dans la cour de l'hôtel d'Aubray.

Voilà qui pouvait laisser pantois. À une heure aussi tardive, voire dangereuse, vers où cet équipage avait-il l'intention de se rendre, un dimanche soir qui plus est ? Dieudonné ragea contre son impuissance à le savoir :

– Le sort me tient au cul et aux chausses ! Comment les suivre ? Je n'ai que mes jambes pour courir après quatre chevaux.

Atlas sautilla en chantant :

– Mais non, mais non ! Brave garçon ! Une jument ! Dehors t'attend !

– Que me bonnis-tu, c'est quoi cet air ?

– Que la gueuserie a tout prévu, on en a aussi, nous, des chevaux ! Ne demande pas d'où on les sort, on ne le sait pas nous-mêmes. Ce qui importe, c'est qu'il y en a deux de sellés, un pour toi, un pour Fleur.

– Fleur ? Pourquoi elle ?

– Le Marais est son territoire. Elle y a suivi la Vigier, elle nous a alertés, à elle d'achever le travail. Allez ! Perdons pas de temps, en route !

Ils sortirent sans plus parler ; à une vive allure qui étonna Dieudonné, Atlas le guida dans un dédale de ruelles sombres, tout juste éclairées de-ci, de-là, par les chandelles d'une boutique ou par les bougies d'une maison aux fenêtres encore ouvertes.

L'hôtel d'Aubray se situait assez loin de la rue aux Ours, il leur fallut un bon quart d'heure avant d'y parvenir. Fleur les attendait en trépignant d'impatience :

– Vous avez cueilli des champignons en route, ou quoi ? Le carrosse vient de partir, ne traînons pas, on a encore une chance de le rattraper.

Des gueux tenaient par leurs muserolles deux chevaux, prêts à foncer. Sans perdre un instant, la jeune fille monta en selle, Dieudonné fit de même. Il flatta la robe baie de sa jument, demanda à Fleur :

– Comment s'appelle-t-elle ?

– J'en sais rien, baptise-la comme tu veux.

Sans plus réfléchir, il éperonna en criant :

– Hia ! Duchesse…

Il suivit Fleur partie au trot dans le lacis des artères de Paris où elle emprunta des passages dangereux, sollicita sa jument pour la rejoindre à la hauteur de la poterne de la rue du Bourg-l'Abbé, y parvint enfin en évitant de se cogner dans les enseignes des échoppes :

– Curieux chemin ! Tu as une idée de la direction qu'elles ont prise ?

– Plutôt une intuition ! Je pense qu'elles vont à Saint-Denis ! Je coupe par Saint-Martin pour avoir une chance de les retrouver.

Fleur était obligée de crier pour se faire entendre, le martèlement des sabots des chevaux couvrait sa voix. Dieudonné dut procéder pareillement, les fers claquaient fort sur les pavés de sept pouces :

– Elles sont seules ?

– Oui ! Avec le cocher !

À pousser leurs montures à vive allure, au mépris de leur sécurité – Paris n'était pas le lieu idéal pour courir à toute bride –, ils eurent tôt fait de gagner le haut de la rue Saint-Denis où ils aperçurent le carrosse qui s'apprêtait à franchir la porte de la ville. Leurs poitrines lâchèrent un soupir de soulagement mêlé de satisfaction ; ils ralentirent pour continuer au pas.

– J'avais vu juste, triompha Fleur.

– Bien senti, bien joué. Qu'est-ce qui t'a guidée sur cette piste ?

– Un ordre de la Brinvilliers au cocher : « Évite le pont du diable ! »

– Et alors ?

– Il n'y a qu'un pont du diable, celui qui enjambe la Seine à Saint-Denis ; il s'est écroulé aux funérailles de François Ier ; la légende veut que le démon l'ait détruit pour emporter l'âme du roi avant qu'on ne l'enterre dans un lieu consacré. Et puis, nous savons que la Vigier y a ses habitudes.

– Joliment déduit, il ne nous reste plus qu'à les suivre sans nous faire remarquer.

– Et à passer la porte à notre tour, sans heurt avec les archers.

Dieudonné ricana :

– Vu l'heure, en ce moment ces messieurs sont au Châtelet, ils répondent à l'appel, nous n'en rencontrerons aucun. Nous profitons des derniers instants de l'incapacité notoire du chevalier du guet. Ses hommes sont repris en mains par monsieur de La Reynie, il leur impose une discipline de fer. Bientôt, les rues et les portes de Paris seront gardées par des patrouilles formées, renforcées, à tout moment et en tout lieu.

– Plaisant avenir pour la gueuserie, ironisa Fleur.

Dieudonné se mordit la langue, il avait oublié à qui il parlait. Mieux valait se taire, ne pas essayer de recoller les morceaux, poursuivre la filature en faisant le gros dos.

C'est ce qu'il fit, en suivant de loin le carrosse des deux femmes, au côté de Fleur, fermée sur elle-même. La prévision du jeune homme s'avéra juste, ils ne rencontrèrent pas le moindre uniforme sous l'arche percée dans l'ancien rempart de Charles V. La porte Saint-Denis, privée de gardien, voyait entrer et sortir toutes sortes de gens incontrôlés.

À distance respectable, ils continuèrent leur traque, s'arrêtant derrière un arbre ou un bosquet quand ils le jugeaient nécessaire pour ne pas se faire repérer. Ils ne croisèrent personne des lieues durant ; la route n'était pas sûre la nuit, il fallait être fou pour s'y risquer.

Bientôt, les formes fantomatiques de la basilique des rois de France se dessinèrent dans la nuit noire. Le bourg grossit à leurs yeux ; peu à peu, ils distinguèrent mieux les toits des maisons de Saint-Denis ; d'un accord tacite, ils décidèrent de diminuer l'écart entre eux et le carrosse. Grand bien leur prit, car celui-ci bifurqua tout à coup dans un chemin, à l'écart du centre de la ville. Les deux cavaliers ralentirent de concert et, en le voyant s'arrêter devant une propriété aux contours effacés dans l'obscurité, ils mirent pied à terre. La marquise et Madeleine de Vigier descendirent, accueillies par un homme qu'ils entrevirent à peine. Avec précaution, Fleur et Dieudonné attachèrent les chevaux à un bouleau en chuchotant comme au confessionnal :

— Dis donc, fit remarquer Dieudonné, on dirait une église.

— Oui, avec un presbytère, mais pas très éclairé, on n'y voit mi.

— Mais qu'est-ce qu'elles viennent chercher ici ?

— Pour le savoir, faut y aller.

Ils s'approchèrent du mur qui ceignait les bâtiments, le dos courbé, en prenant garde à ne point faire de bruit, se plaquèrent contre lui, le souffle court. Dans un geste rapide, Fleur releva sa jupe pour découvrir des poignards fixés par des lanières de cuir sur chacune de ses hanches. Elle en saisit un qu'elle tendit à Dieudonné :

– Je suppose que tu n'es pas armé ?

– J'ai mes poings pour me défendre.

– Comme tu veux, moi je préfère ces outils ; c'est propre, c'est efficace.

Elle en retira une paire qu'elle boucla sur l'un de ses mollets, enfila les autres à sa ceinture. Dieudonné la regarda faire, surpris :

– Tu te promènes toujours avec ces couteaux sur toi ?

– Ils ne me quittent jamais, je tiens à la vie, mon fils a besoin de sa mère.

– Quoi ? Tu as un enfant ?

– Oui, il s'appelle Jean, il a huit ans. Bon, on y va ? (Elle coupa court aux confidences en se hissant sur le mur :) Viens, il n'y a pas un chat.

Tous les muscles du jeune homme entrèrent en action. En une traction il se retrouva de l'autre côté, dans un jardin mal entretenu, aux herbes hautes. Fleur sauta à son tour. Ils s'accroupirent, les yeux grands ouverts pour capter une ombre mouvante, une lumière, tout indice capable de leur indiquer où mener leurs pas. Dieudonné pointa le doigt droit devant lui, vers un lumignon imperceptible :

– Tiens, là, regarde, une flamme.

– Oui… Pas bien vivace, mais c'est une piste. Voyons ça de près.

Presque à quatre pattes, ils s'avancèrent vers le point lumineux en s'écorchant sur des ronces ou des branches non élaguées. Décidément, il manquait un jardinier à ce parc laissé à l'abandon. Ils atteignirent leur objectif avec force précautions. Il s'agissait d'une remise, construite à l'écart, qui ne comportait qu'une seule fenêtre à travers laquelle ils avaient aperçu la lueur. Des voix s'élevèrent à l'intérieur ; avec une prudence extrême, ils se relevèrent pour voir ce qui s'y passait. L'agencement du lieu les surprit. Un escalier donnait directement sur la porte d'entrée pour descendre dans une espèce de cave ou plutôt, pour être précis, sur une large excavation creusée dans la terre. En bas, au centre de l'unique pièce, au milieu de cornues, d'athanors, d'alambics, de bocaux aux contenus bizarres, quatre personnages entouraient une grande table, à contempler une fiole sur laquelle on l'avait posée. Ils reconnurent la marquise de Brinvilliers, madame de Vigier, et découvrirent deux nouveaux visages. Le premier, effrayant, appartenait à un homme vêtu comme un prêtre. La peau de sa figure, ravagée par la petite vérole, se dissimulait sous des cheveux secs rabattus pour en atténuer la laideur. Le second demandait le Bon Dieu sans confession, et on était tenté de le lui accorder tant ses traits inspiraient la confiance. La soubrette qui affichait sa béatitude avec un sourire angélique, suivait avec attention les gestes de l'ecclésiastique. Petite, fine, elle portait la tenue des servantes sous une cape ouverte. Fleur et Dieudonné entendirent la marquise interroger le prêtre :

– Monsieur Mariette, vous nous confirmez que trois gouttes suffiront ?

– Au-delà, ce serait la mort, ce que nous ne voulons à aucun prix !

– Nos efforts se verraient ruinés, renchérit la servante, personne ici ne souhaite la mort du roi.

– Et votre maîtresse moins que quiconque, ajouta madame de Vigier.

– J'entends bien, mais elle ignore tout du fond de ma démarche.

– Du fond ? persifla la marquise.

– Oui, répondit la servante, car pour la forme, elle me croit chez madame Monvoisin à me faire prédire son avenir, et le mien, qui lui est lié.

Les trois autres sourirent, amusés. L'abbé Mariette reprit :

– À vous de jouer, ma fille, pour le plus grand bien de notre cause et de notre fortune personnelle. Prenez soin de cette fiole, nos vœux vous accompagnent. (La servante mit délicatement l'objet dans son corsage.) Et n'oubliez pas, *bis repetita*, que pour que l'opération « Phébus » réussisse, trois gouttes suffiront, ou vous tuerez Sa Majesté.

Dieudonné, les yeux exorbités, murmura à l'oreille de Fleur :

– Mais à quoi rime cette diablerie ?

– Des empoisonneurs, voilà le nom de ces coquins.

– Je l'avais deviné ; mais ici, à les entendre, ils s'en prennent au roi sans en vouloir à sa vie. Comment traduire ce turc ?

– Peut-être veulent-ils lui faire avaler quelque sortilège qui le rendra mol du bonnet ? Ou de tout autre partie de sa personne, bien qu'il ait déjà un dauphin.

– Tu as raison, Fleur, il faut que je découvre ce que cette maudite servante a en tête.

– Et aussi le vrai nom de ce « Phébus » dont ils causent.

Dieudonné haussa les sourcils :

– Ça, je le sais déjà : il ne s'agit de rien de moins que du roi ; en latin, *Phoebus* désigne le soleil.

En bas, la conversation reprit. L'abbé remit un sac à Madeleine :

– Quant à vous, madame de Vigier, votre rôle sera de faire boire cette tisane à l'orphelin. Je vous garantis le résultat.

– Je dois le rencontrer tantôt, il connaissait mon mari, ce sera chose aisée. Pour la suite, je fais confiance à Pérols pour enflammer l'opinion.

– L'empoisonnement de l'orphelin la remuera, le peuple sera déchaîné contre les parpaillots, ajouta la marquise.

– Cette engeance n'aura que ce qu'elle mérite, fulmina Mariette.

Madame de Brinvilliers haussa les épaules :

– Protestants... Catholiques... Peu m'importe, les religions se ressemblent, elles ont toutes un dieu ennuyeux à nous servir.

Dehors, le nez collé au carreau, Dieudonné n'en revenait pas :

– Quand La Reynie saura ça... La sœur du lieutenant de police criminelle plus athée qu'un cannibale d'Afrique !

– Ne crois-tu pas que le plus important soit le sort réservé à cet orphelin dont ils parlent ?

– N'aie crainte, j'y pense. Mais qui est-il donc pour qu'ils veuillent le faire disparaître si méchamment ?... Un enfant ou un adolescent d'un rang élevé, à coup sûr. Ah, si nous étions venus en nombre, on aurait mis la main sur ces quatre-là.

– On a leur adresse, le consola Fleur.

– Mais pas de preuve pour qu'on les arrête.

– Alors, on fait quoi ?

Ce qu'ils eurent à faire fut de se défendre :

– À l'alarme ! Des espions !

Ce fut une confusion totale, tout se déroula à une vitesse folle. Trois gardes qui patrouillaient dans le jardin repérèrent Fleur et Dieudonné. Ils alertèrent aussitôt les comploteurs, réclamèrent des renforts, foncèrent sur les intrus. En bas, les empoisonneurs plièrent hardes et bagages à toute allure pour quitter les lieux. Ils s'enfuirent dans un mouvement de panique digne de celui qui gagna les humains à l'annonce du déluge. Fleur n'attendit pas l'attaque des sbires pour riposter. Au jugé, elle lança un de ses poignards qui atteignit le premier. L'homme, surpris, étouffa un grognement en s'écroulant. Le deuxième se jeta sur Dieudonné ; il lui bloqua le bras et le fit basculer dans un craquement d'os. Le vilain hurla de douleur, le col brisé par la riposte. Le troisième, en voyant l'état de ses acolytes, s'arrêta, hésita, puis fit demi-tour en appelant ses amis à la rescousse. Le poignard de Fleur se planta dans son dos. Il s'écroula en criant comme un putois.

– L'air devient malsain, levons le camp ! ordonna Dieudonné.

– J'allais te le proposer !

Sans plus discuter, ils opérèrent une prompte retraite, coururent vers le mur, l'escaladèrent, détachèrent leurs chevaux, sautèrent en selle et prirent la route de Paris au grand galop.

La rue aux Ours était déserte. Fleur descendit de cheval en priant Dieudonné d'en faire autant. Elle rassembla les harnais des bêtes pour les remonter sur leurs dos avant de frapper leurs croupes d'une claque sonore :

– Va ! Va ! Partez !

Les chevaux disparurent dans les rues, les yeux affolés.

– Qu'est-ce qui te prend ? s'indigna Dieudonné.

– Je les rends à leurs propriétaires, s'ils les retrouvent. Enfin, que m'importe, du moment où quelqu'un les arrête pour s'en occuper.

– Mais ils risquent de se blesser sur ces pavés !

– Et alors, je le sais !… Tu veux que je fasse quoi ? Que je les emmène à la cour des Miracles ? C'est connu, on y a les meilleures écuries de France avec foin et avoine en abondance.

Dieudonné ne sut que répondre. Fleur se rendit compte du ton hostile qu'elle employait ; elle chercha à ramener la paix entre eux :

– Offre-moi plutôt à boire, ces émotions m'ont asséchée.

Ils rentrèrent au quartier général de Dieudonné qui cherchait à lui donner un nom. Il avait pensé à « palais », « hôtel », mais ne les avait pas retenus.

La jeune femme s'écroula sur un banc, face à un quignon de pain et un beau morceau de fromage :

– Tu me permets ? J'ai trop faim.

– Je t'en prie, Fleur, sers-toi.

D'un coffre, il extirpa deux gobelets qu'il remplit de vin. Fleur vida le sien d'un trait, en redemanda un autre :

– C'est toujours pareil après la bagarre, j'ai besoin de me calmer en avalant tout ce que je trouve à ma portée.

Dieudonné la laissa engloutir des monceaux de nourriture, sans la déranger par une conversation trop tôt venue. C'est elle qui relança :

– Bon ! Alors, que comptes-tu faire ?

– Il me paraît évident que je dois prévenir monsieur de La Reynie de tout ce à quoi nous avons assisté. À sa place, je sais comment j'agirais, mais je n'y suis pas : lui, il doit se conformer à la légalité.

– La légalité ! (Elle grimaça :) Toute l'horreur du monde est enfermée dans ce mot. La guerre est bien légale, elle, puisqu'on la déclare au nom du droit ! C'est commode, la légalité, elle autorise toutes les exactions, tuer, torturer, piller, détruire, violer, sans la crainte des juges.

Dieudonné évita la polémique, préférant poursuivre d'une voix douce :

– Que connais-tu de la guerre, Fleur ?

Elle hésita. Ses doigts pétrirent la mie du pain :

191

– Je sais que j'en ai un fils.

– Comment ça, explique-moi ?

– La bataille des Dunes, ça ne te rappelle rien ? Moi, si ! J'habitais avec mes parents à côté de Dunkerque. Après leur défaite, les Espagnols du prince de Condé se sont repliés par chez nous. Des bêtes enragées, ils ont tout ravagé, tout brûlé. Ils ont égorgé ma mère, écartelé mon père ; moi, ils m'ont laissée pour morte après m'être passé à dix-huit sur le ventre, m'avoir violée, sodomisée, battue. J'avais quatorze ans, j'étais vierge. Jean est né neuf mois après, d'un de ces porcs. La fin de mon histoire me regarde ; mais j'ai vu que celle de Condé s'est bien terminée, car comme tu le sais, pour le prix de sa trahison, le roi lui a pardonné en le comblant d'honneurs. Soyons heureux, leurs embrassades ont effacé nos malheurs !...

Une envie de vomir monta aux lèvres de Dieudonné. Fleur acheva avec la même haine dans le cristal de ses pupilles :

– J'ai une vengeance à prendre contre l'ordre établi, contre tout ce que l'on dit « légal » ! Je déteste ces Grands qui jouent avec la vie des autres dans le confort de leurs palais. Et si je suis à tes côtés dans cette affaire c'est parce que je connais trop le prix à payer pour satisfaire l'ambition des princes. Oui. Le sang, les larmes, la faim, la douleur, j'ai donné plus que mon dû, sans compter un corps que ces soudards ont sali et détruit à jamais.

– Ne dis pas cela, tu es belle, jeune, vive, je suis sûr que beaucoup d'hommes voudraient t'aimer d'un amour honnête, il n'est pas trop tard.

Fleur lui lança un œil farouche, plus meurtrier que ses poignards :

– Aimer ? Je connais l'amour, Dieudonné, mais vois-tu, après les Dunes, je ne l'ai pas cherché chez les hommes. Pourquoi crois-tu que je contrôle le quartier des ribaudes ?

Parce que je les aime… Et je ne serai jamais à toi, par goût des femmes.

L'aveu tomba sur Dieudonné comme une chape de plomb. Il ne savait que penser. L'arrivée en trombe de Charonne lui permit d'éviter de répondre :

– Dieudonné ! Viens vite ! Atlas a été arrêté par les archers des pauvres, ils l'ont conduit à l'enfermerie. Bottes rouges l'a fait prendre !

VIII

Le glaive et la pierre

Les pauvres mendiants, les femmes forcenées et dangereuses, les ribaudes, les folles, les fous, les prêtres concubins, les moines en rupture de vœu, les vieillards indigents, les estropiés, les malformés, les enfants errants et tout ce qui de près ou de loin contrevenait aux normes de la société trouvait place, de gré ou de force, à l'Hôpital général.

Depuis dix ans, précisément le 7 mai 1657, ledit Hôpital fermait ses portes pour ne plus les rouvrir sur les quarante mille mendiants et déviants que les chasse-coquins – ou archers des pauvres – s'escrimaient à lui livrer.

Bien entendu, beaucoup leur échappaient, mais des milliers de malheureux peuplaient ses bâtiments érigés un peu partout dans la capitale. On les forçait à travailler pour occuper leur esprit ou leur apprendre un métier ; en retour de quoi l'administration leur assurait un toit, du potage, du pain, de l'eau et les obligatoires offices religieux.

Chaque établissement avait sa spécialité. À la Maison de Scipion on accueillait les femmes enceintes, à la Salpêtrière les prostituées et les démentes, à la Pitié les orphelines à qui l'on enseignait la filature, à la Savonnerie les orphelins que l'on formait à la tapisserie, bref, sans tous les citer, chacun remplissait un rôle défini pour combattre la misère, la maladie et les atteintes aux bonnes mœurs.

La Mission de Bicêtre, elle, mélangeait les genres. Une seule règle guidait son désordre : on n'y recevait que des hommes. Quant au reste, s'y côtoyaient les grabataires, les défroqués, les idiots et les inclassables dont on voulait débarrasser les rues. Atlas y avait été conduit, étiqueté dans cette dernière catégorie.

Le système des boîtes bleues fonctionna avec efficacité. Grâce à lui, son sort fut vite connu de Dieudonné de la bouche même de La Reynie. Le lieutenant de police avait promptement mené une enquête pour savoir où l'on avait conduit Atlas. Ses services l'informèrent que le nain avait été emmené à Bicêtre à la suite de la plainte d'un passant. Ce particulier, aux bottes rouges, avait saisi les archers des pauvres pour signaler les agissements empreints du vice ultramontain d'un malformé dont il ne parvenait pas à se débarrasser. C'est peu de rapporter que ces messieurs du guet malmenèrent ce nabot, tare de Dieu, qui plus est insolent et sodomite !

Dieudonné profita de sa rencontre avec le lieutenant de police pour lui fournir un compte rendu fidèle de sa nuit passée à Saint-Denis. Le visage de La Reynie s'assombrit :

– Comment prévenir le roi ? Bien sûr, je l'approche facilement, mais que lui dire exactement ? De qui et de quoi dois-je lui conseiller de se méfier ? Quel flou brouille cette affaire ! Pour toute preuve, nous avons le récit d'une chef de bande notoire et d'un voleur en mal avec les Oratoriens. Nous ne proposons rien de concret, rien de vérifiable ! Je vois d'ici le tableau si je m'aventure chez Sa Majesté avec un dossier si peu étoffé ; sûr que le cordon de Saint Louis m'est accordé d'avance !

– Il faudrait au moins surveiller le presbytère de ces empoisonneurs.

– La belle affaire ! J'en suis conscient, mais Saint-Denis sort du champ de mes attributions. Me voyez-vous aborder le lieutenant de police criminelle pour lui apprendre que sa sœur, marquise de Brinvilliers − excusez du peu −, est une comploteuse, une intrigueuse, une athée mâtinée d'une empoisonneuse ? Imaginez-vous la réaction du prévôt de l'Île [1] si je lui confesse avoir empiété sur ses attributions avec l'aide de deux sans-aveu et lui mande de procéder aux surveillances qui s'imposent ?

− J'avoue que oui, monsieur, ce serait un cataclysme juridico-politique.

− La formule est hardie, Danglet, mais elle me convient. En l'état, nous ne pouvons que renforcer notre vigilance, avec l'aide de vos... archers des gueux, comme ils s'appellent eux-mêmes.

− Et si la situation prenait, tout à coup, une tournure tragique ?

La Reynie grimaça :

− Hélas, c'est ce que j'arrive à souhaiter pour la débloquer, je n'ai pas d'autre solution que d'espérer un drame.

− Pour nous donner l'ordre d'agir en dépit de l'écheveau administratif ?

− Vous continuez à me surprendre par la vivacité de votre raisonnement, Danglet ! Oui, seule une tragédie pourrait justifier un ordre de cette nature. Comme on le dit : nécessité fait loi.

Face à cette stratégie pessimiste, Dieudonné s'empressa de souligner les points positifs de l'enquête :

− En tout cas, monsieur, les événements récents nous sont favorables. Nous avons connaissance des agissements des comploteurs, et nous savons à quoi ils ressemblent. À ce sujet, voici les portraits que j'ai exécutés de l'abbé Mariette et de la servante.

1. Autre corps de police chargé, la nuit, de la sécurité des abords de Paris.

196

Avec beaucoup d'attention, La Reynie les examina :

– L'homme ne m'inspire aucun souvenir, mais cette femme... Je suis sûr de l'avoir rencontrée, mais vous dire où ?... Cela me reviendra.

– De même, nous avons appris que madame de Brinvilliers, la propre sœur de votre ennemi, complotait avec eux. Ce n'est pas là un mince renseignement, il nous faut nous méfier du frère, tout lieutenant qu'il est. Rien ne nous garantit son innocence dans cette affaire.

– Exact. Je vais mettre Desgrez à ses chausses.

– Enfin, Bottes rouges a été retrouvé, il est à Paris. Des gueux l'ont vu parler aux chasse-coquins, sans pouvoir intervenir.

– Mais pourquoi ne l'ont-ils pas suivi ?

– Ils ont jugé plus urgent de prévenir Charonne.

– Je comprends, c'est humain.

Manie bien connue, Dieudonné croisa ses mains dans son dos :

– Réfléchissons... Vous ne pouvez intervenir contre la marquise ; elle est, aux yeux de tous, étrangère à cette affaire. Reste madame de Vigier. Je vous l'ai affirmé, et je vous renouvelle ma certitude : je sais où, chez elle, se trouve l'autre clé. Il suffirait d'un petit déclic du destin pour me permettre de vous le prouver et de saisir les documents des comploteurs.

– Pas tout de suite, elle nierait tout, jurerait qu'en bonne épouse elle ne se mêlait pas des activités de feu son époux...

– ... auxquelles elle ne comprend rien... Et sans ses aveux, que valent ces papiers dont nous ne connaissons pas la teneur ? Imaginez qu'ils soient chiffrés ; qui nous fournira le moyen de déchiffrer leur laïus ? Nous ne savons pas ce que nous trouverons dans les notes de François de Vigier, et si sa femme ne collabore pas à nous le faire comprendre, nous aurons bonne mine. Nous devons l'y contraindre.

– Je vous suis sur ce plan ; il est vrai qu'avec le peu de jeu que nous avons en main, faire irruption chez elle ne servira à rien. Toute la magistrature plaidera en sa faveur, le plus petit avocaillon démontrera facilement son innocence dans les agissements de feu son mari ! Elle jettera des yeux étonnés sur les papiers des comploteurs en clamant qu'elle ne les avait jamais vus auparavant, qu'elle ignore tout de leur nature, en un mot nous aurons saisi des documents inexploitables de la première à la dernière ligne, et le Parlement dans son ensemble nous tombera sur le râble.

Dieudonné se fit l'avocat de la défense :

– Sauf si cette hypothèse se révèle fausse. Il se peut que les instructions remises à Vigier pour la destruction d'un fort soient écrites dans un français limpide !... Mais le doute plane, les dévots ont l'habitude de correspondre par énigme, les Jansénistes se reconnaissent entre eux par un numéro, nous ne devons rien laisser au hasard. Notre seule chance de réussir repose sur une explication avec Bottes rouges. Lui ne trouble pas vos rapports avec vos « collègues » ou « confrères », on peut le bousculer sans craindre la plainte d'un grand protecteur. Par son bavardage, on pourra peut-être faire pression sur madame de Vigier.

La Reynie leva les yeux au ciel en exhibant un sauf-conduit :

– La Vierge soit avec nous ! Tenez, cet ordre signé de ma main vous permettra de sortir votre ami Atlas de Bicêtre. Voici une bourse, cet argent vous servira à louer des carrosses. Allez-y sans tarder et tenez-moi au courant. Le temps presse, des milliers de vies reposent sur vos chances de trouver Bottes rouges.

– Je pars sur l'heure, monsieur. Au fait, j'oubliais : je pense que ledit Bottes rouges s'appelle Pérols. Peut-être avez-vous déjà entendu prononcer ce nom ?

La Reynie le regarda partir en souriant. Ce garçon avait décidément de la ressource…

*
**

Les visages des cochers virèrent au gris quand ils virent la troupe des gueux grimper dans les trois carrosses que Dieudonné avait loués. Plus que par leurs trognes peu amènes et leurs vêtements d'une élégance carnavalesque à la propreté douteuse, ils furent effrayés par l'arsenal que les sans-aveu exhibaient avec ostentation. Des pistolets d'arçon débordaient de la ceinture des uns, les autres agitaient des brettes, des couteaux, des dagues, des bâtons ferrés. Le spectacle les épouvanta, il fallut à chacun quelques livres sonnantes et trébuchantes pour calmer ses appréhensions.

Dieudonné fit monter Charonne avec lui. Fleur prit la direction du deuxième groupe. La Grenouille mena le reste de la bande.

Les fouets claquèrent, le cortège s'ébranla en direction de Bicêtre, là-bas, dans la campagne, bien après la Pitié, dans les champs et les vignes. Pressé, Dieudonné donna l'ordre aux cochers de passer par le pont de la Tournelle, au péage élevé – douze deniers par carrosse, une sacrée somme ! –, mais son raccourci, en coupant la route habituelle par l'île Notre-Dame, permettait de gagner des minutes précieuses.

– Es-tu certain qu'Atlas a repéré la cachette de Bottes rouges ? demanda Dieudonné à Charonne.

– Je le pense. Quand on l'a arrêté, il a vu des gueux de loin et a crié un message en argot qu'eux seuls pouvaient comprendre ; les archers ont dû croire qu'il délirait.

– Qu'a-t-il dit de précis ?

199

– Je te traduis ce qu'il a hurlé en faisant le pitre : « Les belles bottes, je sais où on les range, je sais où elles se cachent ! » Il leur a demandé de me prévenir.

– En chantant, je suppose ?

– Sur le même air, oui, c'est sa manie… Dieudonné, je sens qu'il a débusqué notre homme, qu'il sait où il se terre, j'en mets ma main à couper.

– Puisse la suite t'éviter un vilain moignon.

Charonne lui donna une bourrade :

– Accroche-toi à cette idée, Dieudonné, on va réussir. Au fait, j'ai une autre information pour toi ; avec l'histoire d'Atlas, j'oubliais de t'en parler. (Les carrosses traversaient Paris dans les hurlements des passants qui n'avaient que le temps de se pousser pour ne pas se faire renverser.) Voilà, poursuivit Charonne, on s'est fait un ami chez monsieur de Lagny.

– Un ami ? s'étonna Danglet.

– Ah ! disons qu'on a secouru un laquais en manque d'argent.

– Je comprends mieux, tu parles d'une amitié qui a un prix.

– Pas très élevé, mais rentable.

– Et alors ?

– Ce brave garçon, hier soir, a pu entendre une partie d'une conversation entre son maître et un visiteur. En gros, Lagny a dit : « Monsieur Colbert ignore à quel point le succès de notre opération rejaillira sur le lustre de sa famille. »

– Colbert ? s'écria Dieudonné, abasourdi. A-t-il ajouté quoi que ce soit d'autre ?

Charonne acquiesça :

– Oui. Il a encore dit que Colbert serait heureux du tour pour passer la main avec panache. Voilà tout.

Dieudonné s'interdit de conclure dans la précipitation. Des mots sonnaient faux dans ce discours, il fallait éviter de les utiliser au pied de la lettre... Colbert ! un comploteur ! C'était insensé, il ne pouvait y croire. « Colbert ignore »... Colbert ne savait donc pas... Mais quoi ?...

Il laissa son cerveau chercher la faille en priant Dieu qu'il y en ait une...

Les cochers avancèrent à toute allure, alléchés par la promesse d'une belle récompense s'ils arrivaient à Bicêtre avant deux heures. Le fait est qu'ils purent la réclamer en exécutant le contrat par une prouesse, une merveille de rapidité. Charonne consulta sa montre à gousset — de chez Martinet, s'il vous plaît, mais à la question de savoir comment il se l'était offerte, on tutoyait l'indélicatesse —, et lut une heure cinquante sur le cadran. Dieudonné sortit du carrosse comme un diable de sa boîte :

— Restez tous à l'intérieur, je reviens, pas d'initiative ! Fleur, la Grenouille, prenez la suite, j'emmène Charonne.

Ils pénétrèrent dans le bâtiment auquel l'intendant avait voulu donner un peu de chaleur en faisant pousser des fleurs dans l'entrée. Mais aussitôt que l'on faisait quelques pas, la réalité effaçait toute trace de l'humanisme dont on avait déguisé le lieu. On rencontrait dans les couloirs des vieillards cacochymes bavant comme des crapauds, mouillés de leur pisse jusqu'au pourpoint, puant de la merde qu'ils avaient lâchée dans leurs hauts-de-chausses. Ils râlaient des propos abscons, laissés à l'abandon, sans soins, à attendre la mort. Dans une salle mal éclairée, des fous furieux hurlaient, pieds et poings enchaînés aux murs, les yeux hagards, le corps tordu. À l'inverse, des aliénés se promenaient sans contrainte, surveillés par des gardiens armés de gourdins ; il s'agissait des prêtres bannis de l'Église, malades de s'être interrogés un jour sur leur sacerdoce, d'avoir tiré un trait sur la discipline ecclésiastique ou les querelles théologiques. La privation de liberté offrait une réponse à leurs questions.

Dieudonné et Charonne se heurtèrent à un gardien, épais, pas peu fier de son rôle :

– Arrêtez-vous ! Que faites-vous ici ?

Superbe, Dieudonné le considéra de haut :

– Je vous prie de nous amener à votre intendant, mon brave, et vite ! Service du roi.

L'autre les inspecta d'un œil méfiant :

– Service du roi ? En voilà, des beaux mousquetaires !

Dieudonné lui colla le document de La Reynie sous le nez :

– Tu sais lire, maraud ? Voici un ordre signé du lieutenant de police de Paris, dont tu dépends. Conduis-nous vite, ou je te botte le cul.

Le gardien pâlit en reconnaissant la signature au bas de la page :

– Faites excuse, j'ai des consignes... Par ici, je vous prie... Si vous voulez bien...

Et, par enchantement, se rappelant les bonnes manières que lui avait inculquées madame sa sainte mère, le cerbère les emmena jusqu'à une porte à laquelle il frappa. Une voix fluette répondit d'entrer, ce qu'il fit en procédant à des présentations dignes d'un ambassadeur :

– Monsieur ! Ces messieurs sont en mission, ils viennent de la part de monsieur de La Reynie avec un ordre de sa part.

L'intendant se leva d'un bond, ajusta sa perruque, tira sur ses dentelles :

– Soyez les bienvenus, que me vaut l'honneur ?...

– Ceci ! le coupa Dieudonné en lui présentant le papier. Je viens chercher un dénommé Atlas, un nain que l'on vous a amené cette nuit.

– Le sodomite ? Celui qui chante ? Quelle idée ?

202

– Monsieur de La Reynie ordonne qu'on le morgue [1] au Châtelet, il est impliqué dans une affaire de la plus haute importance.

Avec moult gestes gracieux, l'intendant commanda au gardien :

– Eh bien, nous allons nous séparer de ce délicieux individu. Dommage, un nain, ce n'est pas courant...

Dieudonné et Charonne se regardèrent, atterrés. Il paraissait évident que les mœurs de l'intendant auraient convenu au frère du roi et à sa petite cour fort attachée à la mémoire des mignons. Un nain à son souper, avec une réputation de cette qualité, eût été d'un plaisant commerce. Comme quoi, se dit Dieudonné, pour cacher sa perversion, il est judicieux de contrôler les pervers. Ils refusèrent le doigt de muscat que le sieur leur proposa, attendirent sans causer.

Des cris leur parvinrent du bout du couloir ; les termes employés ne firent aucun doute sur leur auteur :

– Fils de rat, bâtards de truie, enfants de putasse, lâchez-moi, je vous l'ordonne, ou il vous en coûtera les couilles qu'on vous coupera en place de Grève !

Avant même qu'Atlas ne prononçât un mot qui aurait pu inquiéter le personnel hospitalier, Charonne éleva la voix pour le menacer à toute allure :

– Ah, te voilà, nabot ! Tu nous suis au Châtelet, scélérat ! Tu t'expliqueras sur tes exactions ! Plus de pitié, c'est fini !

L'intendant eut le malheur de s'en mêler :

– Vous n'allez quand même pas le torturer, monsieur le policier ?

1. Morguer les prisonniers, spécialité du Châtelet, consistait à les interroger dans une salle réservée à cet effet. Au début du XVIIIe siècle, cette basse-geôle servit à exposer les morts aux fins d'identification, et fut, de fait, appelée « morgue ».

– Que croyez-vous qu'on fasse aux sodomites ? On leur applique la question noire.

– La question noire ? s'épouvanta l'homme.

– La plus terrible ! Et je vous jure qu'avec un peu de braise et un tison brûlant, le lieu de leurs délices coupables devient un enfer s'ils refusent de parler.

– Quelle horreur !

– Peut-être, mais c'est efficace.

Atlas comprit le jeu et s'en mêla en se traînant à terre :

– Pitié ! Pitié ! Pas la noire question, pas le tison, j'avouerai tout !

Dieudonné, qui se mordait les lèvres, fit un effort pour conclure :

– Allez ! Monsieur Charonne, emmenez-moi cette… créature, qu'on en finisse !

– Non ! Ne me torturez pas, pas les braises, laissez mon cul tranquille !

Charonne emporta Atlas sous le bras en lui intimant tout bas :

– Si tu te retournes pour leur tirer la langue, je te l'arrache !

– Pas la langue ! Elle m'est utile ! continua le nain sur le même registre.

– Idiot de nabot.

– Nabot ! Idiot ! Nabot ! Idiot !

Dieudonné prit congé sans attendre pour rejoindre les deux autres sur le pas de la porte. L'intendant lui fit au revoir avec son mouchoir.

Atlas continuait à se débattre en hurlant à gorge déployée. Dieudonné lui fit remarquer :

– Tu peux t'arrêter, on est dehors.

Charonne le posa à terre où il gambada, pirouetta, s'emporta :

– Hôpital de merdeux, teigneux, scrofuleux ! Je compisse ton nom, je te maudis jusqu'à ta dernière pierre ! Vous vous rendez compte, vous autres, ils m'ont pris pour un sodomite, moi, Atlas, l'Adonis de ces dames ! Mais ils sont tous fols, là-dedans !

– Calme-toi, l'apaisa Charonne, le principal, c'est que tu en sois sorti.

– Oui, mais dans quel état ! Regarde mes bras, mes jambes, ma tête : couverts de plaies et de bosses. Ah ! ils m'ont bien soigné, bel hôpital !

– Tu en as vu d'autres, ça passera.

Atlas cessa de bondir dans tous les sens, songeur :

– Est-ce à toi que je dois ma libération, Dieudonné ?

– Surtout à monsieur de La Reynie. Nous sommes venus te chercher avec un ordre signé de sa main.

Grimaçant un sourire, le nain se pencha, insidieux, vers Charonne :

– Si je comprends bien, aujourd'hui, t'as travaillé dans la police ?

Et ne pouvant plus le retenir, les trois hommes décadenassèrent le fou rire qu'ils enfermaient en eux. Les derniers hoquets passés, Dieudonné leur rappela ce qui les réunissait :

– Alors, Atlas, ce Bottes rouges, tu l'as vu ou non ?

– Ouais ! Je crois savoir où il loge, mais t'auras du mal à le croire.

– Vas-y, je t'écoute.

Atlas se laissa tomber pour s'asseoir :

– La cervelle est l'avantage des petits hommes, tout ce que Dieu a oublié de nous fabriquer en hauteur, Il l'a compensé en grosseur en nous dotant d'une belle intelligence. Autant s'en servir, c'est ce que j'ai fait. J'ai beaucoup pensé à cette histoire de carrosse à cinq sols, ma conclusion a été simple : si Bottes rouges se déplaçait grâce à ce moyen de transport, il suffisait que je me poste à ses arrêts pour avoir une chance de le repérer.

Charonne se moqua :

– On dirait que les leçons de Dieudonné te profitent.

– En tout cas, j'en ai plus appris en trois jours avec lui qu'en trois ans avec toi et le mou pour chat qui te sert de cerveau ! Continuons…

– Oui, insista Charonne, sinon tu vas finir par dire des méchancetés.

Atlas lui fit un pied de nez, il reprit son récit :

– Il m'a paru judicieux d'agir par élimination. En effet, en y regardant de près, j'ai remarqué que toutes les lignes de la compagnie desservaient le Luxembourg, côté rive gauche. Ça a donc été mon point d'attache. Après deux journées de surveillance pour rien, le sort m'a été favorable.

– Va au fait, s'impatienta Dieudonné.

– J'y viens, j'y viens. Par ma foi, j'usais bien de la bonne méthode, puisque je l'ai vu descendre dimanche soir, enfin !

– Par où est-il parti ?

– Il a tout de suite filé rue de Vaugirard où je l'ai suivi et là, tenez-vous bien, il a tourné vers les ladres !

Dieudonné et Charonne n'en crurent pas leurs oreilles :

– Chez les lépreux ?

– Véridique ! Le drame, c'est que la maladrerie se trouve à terrain découvert, tout à fait retranchée des habitations, c'est comme ça qu'il m'a repéré. Il a fait demi-tour au moment de pénétrer dans ce méchant lieu, il a rebroussé chemin et, dès qu'il a rencontré les gens du guet, il m'a accusé de tous les vices. Vous connaissez la suite. Saleté d'hôpital ! Pouilleux ! Galeux !

Et il embarqua son discours dans un équipage d'injures étonnantes.

Dieudonné le prit par la main pour l'emmener de force en amont des bâtiments où les trois carrosses les attendaient. Dès qu'ils les virent revenir, les gueux manifestèrent leur joie par des hourras et des bourrades sans retenue. Fleur les embrassa.

– Si tu savais, ma jolie, se plaignit Atlas, ils m'ont pris pour un sodomite, un malade des sens !

Tout à coup, il se ravisa, embarrassé par ses propos. Malheureux, il demanda, du regard, de l'aide à ses amis. La jeune femme esquissa un sourire amer :

– Mais nous, nous savons tous qui tu es…

Les trois hommes se dévisagèrent en se renvoyant le poids de leur jugement les uns aux autres. Qui étaient-ils pour condamner ?

La journée des cochers fut l'une des meilleures de leur vie. Dieudonné rajouta les gratifications promises au prix de leur course. De Bicêtre, il leur avait demandé de les conduire jusqu'à Saint-Germain-des-Prés où la troupe débarqua sur les coups de six heures. Le trajet, en conséquence, coûta une fortune à monsieur de La Reynie, la bourse confiée à Dieudonné se retrouva bien plate.

La stratégie mise au point par Dieudonné se résuma à une occupation logique du terrain. Il répartit les douze gueux aux points cruciaux du faubourg, par groupes de deux, jusqu'à la maladrerie qu'il réserva pour lui et Charonne. Avec Cyclope, Fleur installa ses quartiers de la rue Taranne, près de l'hôpital de la Charité, à la rue des Marais, en direction de l'ancien Pré aux Clercs ; Ducasse occupa les alentours du Luxembourg avec un autre duo qui eut pour mission de patrouiller dans les ruelles adjacentes ; la Grenouille barra toute retraite vers le Pont-Neuf en se plantant rue de la Boucherie ; Atlas, enfin, se vit attribuer le périmètre de l'église Saint-Sulpice, en continuels travaux depuis plus de vingt ans.

Le jeune homme vit bien les défauts de son dispositif ; il n'avait, entre autres faiblesses, personne à poster au sud et à l'ouest, mais il comptait sur une réaction très simple de Bottes rouges qui, pensait-il, aurait pour réflexe de se sauver par le nord, vers le centre de la ville, quand il se verrait encerclé.

Le quartier connaissait une intense animation. Il prenait de la valeur depuis quelque temps avec la venue massive de la noblesse soudain éprise d'amour pour lui. On y construisait hôtel sur hôtel, dans une sorte de frénésie immobilière ; les académies des gens d'épée ne désemplissaient pas, de nombreux manèges s'ouvraient pour répondre aux besoins de cette clientèle hautaine, les jardins fleurissaient en quantité. Il était de bon ton pour un étranger de venir y séjourner.

Il est vrai que le négoce n'avait jamais été l'apanage du faubourg. Au contraire des Halles et de ses environs, on ne rencontrait ici que quelques bouchers et bien plus de potiers, de fripiers, de cordonniers ou de corbeillonniers habiles dans l'art de la vannerie. Seule sa fameuse foire annuelle lui apportait un regain d'activité, du jour de la fête de la Purification de Notre-Dame jusqu'à Pâques ; on constate une fois encore dans ce calendrier que tout se mesurait durant ce règne à l'aune du religieux, même le temps des affaires.

Voilà donc brossé le paysage où Dieudonné et sa troupe de sans-aveu se devaient de retrouver l'homme aux bottes rouges.

Il les réunit contre les murs de l'abbaye, loin des oreilles indiscrètes, pour leur donner ses ultimes recommandations :

– N'oubliez pas qu'il nous le faut vivant, sa mort ne nous avancerait à rien, au contraire. Maintenant je vous confesse mon doute : j'espère qu'il empruntera cette route si nous n'arrivons pas à l'arrêter avec Charonne, mais rien n'est moins sûr.

– Et s'il arrive par le Luxembourg ? interrogea Ducasse.

– Tu le suis. Notre tactique ressemble à celle de l'étau, nous devons le coincer, l'empêcher de fuir, l'acculer dans un endroit où il sera forcé de se rendre. Dès que l'un de nous l'aperçoit, il se rapproche de lui pour le rabattre sur le reste de la troupe.

Fleur mit le doigt sur le point le plus dangereux :

– Et que faire s'il se défend ? J'ai dans l'idée que Bottes rouges sait se servir d'une épée.

– On improvise, mais on reste en vie.

– Alors, commence par préserver la tienne.

Sur ce, elle lui tendit une rapière. La troupe attendit la réaction de Dieudonné. Tous savaient qu'il privilégiait le verbe, qu'il se méfiait des armes, et il contemplait celle-là avec circonspection. Loin de lui la peur de se battre, on le considérait par ailleurs comme un excellent bretteur ; son appréhension ne cachait donc pas de lâcheté ou un manque de pratique du maniement du glaive. Non, sa répulsion était tout intellectuelle ; il jugeait le recours à la violence comme un échec de l'esprit… mais il était encore très jeune.

Il prit le baudrier, le boucla, souhaita bonne chance à tous, se dirigea vers la ladrerie en compagnie de Charonne.

Celle-ci se situait à deux pas de l'abbaye de Saint-Germain, ils l'atteignirent en quelques instants. Charonne cracha en la découvrant :

– Pouah ! La peste soit de Bottes rouges ! Quel esprit peut bien avoir celui qui choisit de se nicher là, sinon celui du démon ?

– Je te l'accorde, mais c'est rusé. La preuve en est que pas un de nous n'a songé à venir le chercher dans ce coin.

– Gueux mais pas fous. Te rends-tu compte du danger à respirer cet air, à côtoyer ces pauvres diables ? Il suffit d'un vent léger pour que leur maladie nous rentre par le nez, une bourrasque, et hop ! plus de bras, plus de jambes, plus de narines.

– N'exagères-tu pas un peu ?

– Par ma foi, non. Le commerce avec les ladres, même de loin, te rend ladre à ton tour, aucune médecine n'y remédie.

– De toute façon, en l'état de ses connaissances, la médecine ne peut rien pour toi, quoi que tu aies. Hormis leur grand art pour élever des sangsues, nos médecins sont bien ignorants ; mieux vaut les éviter et mourir sans leur concours.

Ils tuèrent le temps à discuter de clystères, de purgations, de thérapeutiques barbares recommandées par la faculté. Il y avait long à dire sur le sujet qu'ils n'eurent pas le loisir d'épuiser : Bottes rouges leur apparut, venant du Luxembourg, suivi par Ducasse et ses gueux.

Aussitôt, ils s'avancèrent vers l'homme ; le cœur de Dieudonné battait la chamade, Charonne roulait des épaules, Ducasse déployait sa troupe, le cercle se fermait.

– Pérols !

La voix de Dieudonné retentit, autoritaire, menaçante. Bottes rouges se retourna, vit les six hommes qui se rapprochaient. Dieudonné se félicita d'avoir trouvé le nom du meurtrier, qu'il avait crié un peu au hasard. Il recommença :

– Ne faites plus un pas, plus un geste, Pérols, vous êtes cerné.

– À qui ai-je l'honneur, petit monsieur ? répondit-il avec morgue.

– À un homme qui vous promet la vie sauve si vous vous rendez sans histoire.

– Et ces cinq rustres qui vous accompagnent, me les présenterez-vous ?

Dans un même mouvement qui étonna Dieudonné, ses compagnons sortirent tous ensemble une croix de leur poche :

– Des croix de paille ! s'esclaffa Pérols, goguenard. Il ne manquait plus qu'eux. Décidément, ce monde en est rempli, par trop !

Qu'ils fussent protestants ou catholiques, les gueux plantèrent les croix dans leurs chapeaux.

– Et vous, petit monsieur, auriez-vous égaré la vôtre ou avez-vous honte de l'arborer ?

– La seule honte que je connaisse, Pérols, c'est celle qui me gagne au spectacle d'un assassinat, car je me dis que c'est l'œuvre d'un homme et que je suis un homme moi-même qui ne comprend pas que son semblable soit pire qu'un loup… J'ai devant moi un assassin peu qualifié pour me faire la morale.

Les gueux se rapprochaient peu à peu, sur leurs gardes ; Pérols ne bougeait pas, il continuait à parler :

– Philosophe, petit monsieur sans nom ? Le royaume de France crève de la philosophie ; philosopher est donc un assassinat, vous êtes vous-même un assassin en tuant votre pays avec vos syllogismes mortels. La seule parade à vos attaques est une croisade, et je suis un croisé fier de sa mission.

– Vous êtes fou, Pérols.

– Et plus que vous ne l'imaginez ! Fou de Dieu et de la France !

Subitement, sur cette envolée, Pérols dégaina son épée en fonçant sur l'un des gueux qui tenait un bâton. D'un moulinet précis, il lui fendit la tête puis se retourna vers

Ducasse dont il perça l'épaule. Le violoneux hurla de douleur en s'écroulant sur les genoux. Pérols profita de l'effet de surprise pour s'échapper dans la brèche qu'il venait de tailler dans les rangs. Dieudonné ordonna sans attendre :

– Toi, occupe-toi des blessés ! Toi, va prévenir les autres, coupe par Saint-Sulpice ! Charonne, avec moi !

Une folle poursuite s'ensuivit dans les rues de Paris où, à tout moment, il fallait éviter de glisser sur les ordures, le crottin des chevaux, les étrons des chiens. À chaque enjambée surgissait le danger de trébucher sur un pavé disjoint ou une touffe d'herbe un peu trop haute.

Pérols courut vers les quais, sans se retourner, à toutes jambes. Le chemin qu'il prit rassura Dieudonné dans ses prévisions : l'homme fuyait bien vers le nord où les autres attendaient. À plusieurs ils finiraient bien par le coincer, il se fatiguerait, il n'était plus tout jeune. Ils furent en vue de l'abbaye de Saint-Germain-des-Prés. Une chance, Fleur surveillait le quartier, seule. Elle comprit tout de suite la situation, retira un poignard de sa ceinture. Dieudonné hurla :

– Non ! Vivant, il nous le faut vivant !

Du coup, elle essaya de viser les jambes du fuyard, mais la concentration lui manqua, le couteau alla se planter sur la chaussée. Aussitôt, elle mit ses doigts dans sa bouche pour siffler. Ce signe de ralliement fit surgir Cyclope qui se mit à courir avec elle dans la rue Taranne vers le Quartier latin. Sur la droite, Atlas fit irruption avec le messager dépêché par Dieudonné et un second gueux, plus rapide qu'eux. Ce dernier eut l'idée saugrenue de sortir son pistolet mais, par chance, alors qu'il s'apprêtait à tirer, Atlas réussit à faire voler son arme d'une gourmade : le coup partit en l'air et déclencha des hurlements. Des gens badaudaient encore, malgré la nuit, la poursuite effraya plus d'un promeneur. À la détonation, des femmes eurent une crise de nerfs, d'autres s'évanouirent, des bourgeois se mirent à l'abri sous le premier porche qui s'offrit à eux.

Pérols, inlassable, continua à ce rythme jusqu'à l'enclos de la foire de Saint-Germain, dont toutes les loges étaient fermées. Dieudonné comprit sa tactique :

– Il veut nous perdre dans le dédale des allées, entre les baraques ! Déployez-vous en éventail, ne le laissez pas faire !

Ils dégringolèrent les escaliers qui menaient aux pavillons clos depuis peu pour des mois. Fleur prit sur la droite, Atlas se précipita vers le fond pour lui barrer la route ; la Grenouille, arrivé en renfort, alla surveiller l'aile gauche. L'enclos formait un grand rectangle planté de vingt pavillons entourés d'une galerie marchande percée de portes que les gueux pouvaient contrôler. Le problème pour Dieudonné et sa troupe consistait à ne pas laisser Pérols les entraîner dans les allées qui s'y croisaient, mais à l'en faire sortir. Le jeune homme commanda :

– Un homme à chaque porte ! Les autres, avancez et indiquez votre position en criant votre nom à tour de rôle !

Prudemment, ils s'avancèrent dans les travées :

– Allez-y ! Dieudonné !

– Fleur !

– Charonne !

– La Grenouille !

– Cyclope !

Et ils recommencèrent aussitôt l'appel en tâtonnant dans le noir, prêts à riposter. Le manège dura, ils se signalèrent au moins dix fois avant d'entendre enfin l'un des leurs :

– Ici ! Atlas, porte nord, il est là !

Ils convergèrent aussitôt vers la place que tenait le nain pour le découvrir allongé, comme assommé :

– Atlas ! cria Charonne. Atlas ! Comment vas-tu ? Parle !

Il se pencha, affolé, vers son ami pour juger de son état, mais le nain gémit des paroles rassurantes :

– Trop fort pour moi… Il, il m'a bousculé… Je vois des étoiles… Partez…

Fleur resta avec Atlas pour l'aider à recouvrer ses esprits, le reste de la troupe s'engagea sur la piste de Pérols. Ils firent appel à toute leur énergie pour rattraper leur retard ; l'effort fut payant, ils l'aperçurent qui courait vers la Seine.

– Il va sur le chantier ! indiqua Charonne.

– Quel chantier ? demanda Dieudonné.

– Celui du Collège des Quatre Nations !

La prédiction s'avéra exacte, Pérols s'engouffrait entre des palissades pour disparaître dans le labyrinthe des constructions. Dieudonné, le premier arrivé, suivit le même chemin, les autres durent attendre leur tour, on ne pouvait passer qu'un par un entre les planches.

Là, Dieudonné fut bien en peine de continuer. Il se demanda vers où diriger ses pas. Par prudence, il sortit son épée de son fourreau avant de progresser, l'oreille tendue, les yeux plus que jamais à la recherche d'un signe. Il était seul, la carrure de Charonne l'empêchait de passer par l'ouverture étroite de la palissade, ce contretemps contraignait les autres à attendre dans la rue.

Ce que Dieudonné redoutait tomba comme la foudre, subite, imprévisible. Pérols se jeta sur lui par surprise, de la même manière qu'il l'avait fait avec le gueux dont il avait fendu le crâne. Le jeune homme, habitué des salles d'escrime, para *in extremis*. Il évita un deuxième assaut pareillement avec toute la précision que lui avaient enseignée ses maîtres d'armes. Du coup, Pérols comprit qu'il n'avait pas affaire à un amateur ; il se recula pour mieux engager à nouveau. Dieudonné croisa le fer pour se dégager par une quarte suivie d'une tierce impeccable ; Pérols éprouva ses connaissances par une série dans la ligne haute et la ligne du dedans. Il passa en revue la science de son jeune adversaire en variant les appels, les battements, les contres et coulés, il estima son habileté dans les positions d'attaque et de parade. À la fin, il émit un avis :

– Académique, petit monsieur sans nom, mais bien fait. Dommage que nos camps nous séparent, vous avez de l'étoffe, je vous aurais enseigné avec plaisir ce qui vous manque pour devenir un parfait escrimeur.

– La partie n'est pas jouée, Pérols, ne triomphez pas trop vite.

– Avant de vous tuer, petit monsieur sans nom, j'aimerais savoir comment vous avez appris le mien ?

– Mais par madame de Vigier, répondit-il sans davantage de confidences.

Pérols expira une grande lassitude :

– Ne jamais faire confiance aux femmes, règle d'or.

Ce credo achevé, il repartit à l'attaque. Dieudonné ne faiblit pas, mais dans son for intérieur il se rendit compte que l'homme aux bottes rouges lui était bien supérieur. Sa seule chance d'avoir le dessus se résumait à une feinte qui l'obligerait à un corps à corps où il le maîtriserait facilement. Pérols sentit qu'il allait l'emporter, ses années passées l'épée à la main pesaient lourd dans la balance, et le plateau de Dieudonné s'allégeait de plus en plus. Les bottes rouges sautèrent sur un bloc de pierre, Pérols prit ainsi de la hauteur, la pointe de son arme siffla près du visage de Dieudonné. Le jeune homme battit faussement en retraite pour entraîner son ennemi vers les échafaudages. Pérols se précipita à sa poursuite. En bas, Charonne, entré enfin dans l'enclos, s'époumona :

– Attention, Dieudonné ! Il est derrière toi !

Mais c'est ce qu'il désirait ! Il para deux assauts plus marqués que les précédents avant de continuer son ascension. Pérols le suivit encore, toujours en fendant l'air. Ainsi fait, ils se retrouvèrent tout en haut de l'échafaudage, avec le vide sous leurs pieds. Dieudonné dut alors faire face, Pérols ricana, certain de sa victoire. Ils croisèrent, pointèrent, coupèrent et, après un semblant d'estocade, Pérols porta un coup qui fit voler l'épée de Dieudonné au loin. Les temps de la chevalerie étaient révolus, il n'était plus question d'offrir une seconde chance à l'ennemi, Pérols s'apprêtait à tuer. Dieudonné évalua la situation. La planche où reposaient leurs pieds manquait de stabilité ; son équilibre obéissait aux règles d'une bascule, comme celle dont se servent les enfants pour jouer en pesant de leur poids, tantôt d'un côté, tantôt de l'autre, pour que chacun puisse s'élever dans les airs à tour de rôle. Il avisa une corde au-dessus de sa tête qui servait au transport des seaux, elle lui sembla solidement arrimée ; il n'hésita pas, se jeta sur elle pour s'y accrocher dans le vide. Du coup, Pérols, seul sur l'échafaudage, vit sa carcasse trop lourde peser par excès sur la partie où il se trouvait. La planche s'inclina d'un coup sec. L'effet escompté par Dieudonné se produisit par la grâce de la physique : Bottes rouges, avec effroi, dans un hurlement de surprise, partit en arrière sans pouvoir se retenir à quoi que ce soit. Il alla s'écraser au sol avec un bruit sinistre d'os brisés sur une large pierre.

Les gueux se précipitèrent vers lui. Dieudonné, agile comme un chat, descendit de son perchoir au plus vite. Il se pencha vers Pérols qui respirait à grand-peine :

– Monsieur, vous allez mourir et vous croyez en Dieu. Ne pensez-vous pas qu'il est temps de vous soulager la conscience ? Je suis catholique, j'ai été élevé par les Oratoriens, l'Église nous accorde le droit, en pareil cas, de recevoir la confession d'un mourant pour l'absoudre.

– Votre nom, d'abord, râla Pérols.

– Dieudonné Danglet.

– Vous êtes qui ?

– J'appartiens à la police de Paris, mais dans un service secret, très secret.

Pérols cracha des caillots de sang :

– Me confesser à vous serait trahir, Dieudonné Danglet, un péché de plus.

– Mais partir vers votre Créateur en laissant derrière vous un massacre qui se prépare et que l'on peut arrêter, n'en est-ce pas un plus grand ?

– Vous êtes malin, Dieudonné Danglet, je vous présente mes excuses : vous n'êtes pas un petit monsieur.

Le sang s'échappa de sa bouche et de ses oreilles, plus abondant encore. Dieudonné le pressa avec diplomatie :

– Quel est donc ce fort, objet de votre projet, et qui est l'orphelin ?

– Vous en savez, des choses. Félicitations, je vous avais pris pour une quantité négligeable lorsque je vous ai vu vous enfuir de la rue du Foin.

– Moi ?

– Avec le Suédois. Vous paraissiez en mauvaise posture.

Dieudonné se remit de son étonnement pour poursuivre au plus vite :

– Alors, Pérols ?

– Je vais faire la part de mes péchés, Dieudonné Danglet, je vais tout vous dire sans rien vous avouer, Dieu en tiendra compte, je l'espère… Souvenez-vous de ceci : le forestier, l'orphelin et le tapissier. C'est tout.

– Le forestier, l'orphelin et le tapissier ?

– Ce n'est pas une énigme, c'est la solution. Je n'ai pas trahi et je vous ai révélé l'essentiel pour arrêter une nouvelle Saint-Barthélemy. Mais il vous reste peu de temps.

La mort arrivait, son corps se crispait. Dieudonné usa des dernières secondes de Pérols à des fins chrétiennes :

– Je vous enterrerai, Pérols, mais il me faut savoir qui je mettrai en terre et quel est le nom que je devrai citer à Dieu dans son Église.

Dans un effort ultime, Bottes rouges répondit :

– Henri de La Barnes, capitaine des mousquetaires gris, seigneur des Marjols, comte de Pérols, dernier du nom.

Et il rendit l'âme.

IX

Le forestier, l'orphelin et le tapissier

Le quartier général de Dieudonné avait enfin trouvé un nom. Atlas l'avait baptisé spontanément, sans réfléchir, c'est toujours ainsi que les meilleures idées prennent corps :

– Allez, on retourne à la tanière.

– La tanière ?

– Ben oui, rue aux Ours ! Ça habite où, un ours ?

Et la Tanière devint un nom propre avec sa majuscule appropriée.

Cette nuit-là, la Tanière connut une grande agitation. L'opération menée à Saint-Germain-des-Prés s'achevait sur une demi-victoire ; Pérols était mort en laissant un héritage difficile à gérer. Dieudonné se cassait la tête à comprendre ce que signifiait son ultime révélation : « le forestier, l'orphelin, le tapissier ». Le gueux blessé dans la bataille avait rendu son dernier soupir et le bras de Ducasse saignait en abondance. Un rebouteux de la cour des Miracles le soigna ; les sans-aveu faisaient davantage confiance au plâtre d'un thaumaturge qu'au latin ou à l'eau de sainte Geneviève d'un médecin.

Les uns pansaient leurs blessures, les autres tournaient en rond.

– On fait quoi, à présent ? s'impatienta Charonne.

Dieudonné marchait, les mains dans le dos. Les autres savaient maintenant ce que cette manie signifiait ; ils attendirent qu'il en ait fini.

Il utilisa le tableau noir pour y inscrire les noms de tous les protagonistes de l'affaire. Il les entoura, les flécha, les effaça, les reprit :

– Nous n'avons qu'une solution pour résoudre ce mystère, mais elle est jouable, même en misant gros.

– On brûle les pieds de tous ces méchants jusqu'à ce qu'ils nous crachent le morceau ! proposa Atlas.

– Ne dis pas de sottises. Charonne, il faut que je voie Holbröe, c'est urgent. Je vais lui écrire un mot qu'il doit lire avant l'aube.

On appela Saint-Gris. Il récitait des prières au premier étage devant les dépouilles de Pérols et du gueux que la troupe avait ramenées à la Tanière. Le prêtre prit le message de Dieudonné après l'avoir lu à la demande du jeune homme :

– Qu'en pensez-vous, mon père ?

– Votre plan est hardi, mais il vaut la peine qu'on l'applique. Je vais de ce pas informer le Grand Coësre pour qu'il avertisse notre ami suédois.

– Mes vœux vous accompagnent.

Là-dessus, Saint-Gris s'en alla après avoir béni l'assistance. Protestants et catholiques firent le signe de croix dans une harmonie œcuménique chère aux gueux de la cour des Miracles. Charonne, animé d'une légitime curiosité, questionna Dieudonné :

– T'as écrit quoi ? Tu pourrais nous affranchir.

– Tout part d'une intuition. J'ai dans l'idée que le réseau des comploteurs souffre d'un défaut pyramidal.

– Souffre quoi ? s'étouffa Fleur. Mais qu'est-ce que c'est encore que ce grec-là ?

– Il parle turc, à cette heure, se désola Atlas.

Dieudonné leur dessina une pyramide au tableau en leur expliquant sa fonction dans l'Égypte ancienne.

– Plaise à Dieu, pour les Égyptiens, qu'ils aient le désert chez eux, plaisanta Atlas, parce que vu la taille de leurs tombes, il faut voir grand comme cimetière.

– Et ton patati pyramidal, recentra Fleur, quel lien a-t-il avec nos comploteurs ?

– Simple à comprendre : en haut, le chef. Il communique avec son maréchal au niveau du dessous, qui, à son tour, transmet les ordres au capitaine à l'étage plus bas. Le capitaine voit le lieutenant, et ainsi de suite… chacun ne voit que son supérieur ou son inférieur… Et c'est là que le bât blesse !

Pédagogue impénitent, il leur infligea un cours au bout duquel tout le monde devint expert sur le sujet, Fleur la première :

– D'accord, chaque comploteur ne connaît que son chef immédiat ou ses subalternes… Et après ? Quel avantage en tire-t-on ?

– Un énorme, justement ! Pérols, avant de mourir, n'a pas semblé étonné d'apprendre que madame de Vigier m'avait donné son nom. J'en déduis qu'elle sait beaucoup de choses sur le complot, à un niveau élevé de la pyramide, sinon il m'aurait rétorqué qu'elle ne pouvait le connaître, lui, personnage apparemment important de leur bande.

– Conclusion ? interrogea Charonne.

– Madeleine joue un rôle majeur dans ce qui se trame, ne persistons pas dans l'erreur de la croire cantonnée dans un emploi effacé. (Dieudonné s'excita :) Par conséquent, plus rien ne nous empêche d'aller questionner cette chère veuve, à la condition de prendre l'interrogatoire par un bout intelligent pour l'obliger à parler, sinon elle niera tout… N'oublions pas qu'elle sait que le temps est son allié, et si le complot réussit, qu'elle est sauvée... Or, son exécution approche.

Les gueux en frémirent.

– Tout aussi grave, l'absence de communication chez ces gens fait que l'attentat va avoir lieu. La mort de Pérols ne change rien à son accomplissement ; je suis persuadé qu'ils n'ont envisagé aucune procédure pour éteindre la mèche. Ils sont fort mal guidés, mal encadrés, mal administrés, aucun d'eux n'a d'instruction précise pour arrêter la machine.

– C'est ce que tu as écrit à Holbröe ?

– En quelque sorte, mais en lui suggérant une action où monsieur de La Reynie devra rivaliser avec Molière.

Le Château Vieux contenait mal la foule des courtisans pressés de rendre hommage au monarque comme des caniches bien dressés.

La femme remarqua les signes discrets de l'homme auxquels elle répondit par un bref mouvement du menton. Elle réussit à se débarrasser des petits marquis et de la suffisante pression des princes pour le rejoindre dans un recoin à peu près tranquille. Saluts et courbettes donnèrent l'impression au public que ces deux-là échangeaient ce que la Cour fabriquait de plus précieux : des banalités. Les observateurs auraient été surpris du fond de leur conversation :

– Que se passe-t-il, monsieur ?

– Pérols a disparu, cela ne lui ressemble guère ; j'ai un mauvais pressentiment.

La femme fit un immense effort pour masquer son émotion :

– Peut-on arrêter l'opération contre le forestier ?

– Impossible, madame, notre organisation ne me permet pas d'avertir nos gens, il est trop tard, nous devons prier Dieu de nous assister.

Ils s'interrompirent pour rendre sa révérence à monsieur de Lamoignon qui passait près de là.

– Dire que j'ai cru pouvoir compter sur celui-là, ragea l'homme.

Son interlocutrice eut comme un geste de lassitude avant de vite conclure, des gentilshommes s'approchant d'eux :

– Si nous échouons, si vous êtes découvert, que ferez-vous ?

– Vu mon rang et ma position, je ne crains rien, le royaume évitera les frais d'un scandale. Quant à vous, qui oserait penser que la confidente de la reine puisse travailler au profit de l'Espagne ? Et, dans l'absolu, pourquoi pas la reine elle-même ?

– Pourquoi pas, en effet ? surenchérit-elle, avec un sourire énigmatique.

Madame de Chevreuse – née Jeanne-Marie-Thérèse Colbert – les avait rejoints ; ils abordèrent avec elle des sujets plus frivoles.

Midi sonna, l'heure du dîner agita les Parisiens, les rues se remplirent de gens affamés. Les commis rentrèrent chez eux, les bourgeois se précipitèrent dans les auberges ; tous, suivant leur degré de fortune, coururent vers l'assiette que leurs moyens leur permettaient de remplir. Mais pas un ne jeta un regard sur la troupe d'archers en armes qui s'avançait vers la rue du Foin.

En tête de la troupe, monsieur de La Reynie marchait d'un pas décidé. Deux individus enchaînés le suivaient sous la surveillance de Desgrez. Ils s'arrêtèrent devant l'hôtel de

Vigier ; le lieutenant de police, avec une impression de déjà vu, déjà vécu, frappa vigoureusement à l'huis. L'énorme Jeanne vint ouvrir ; à la différence de la fois précédente, elle le salua avec tout le respect dû à son rang. Ce qu'elle ne modifia pas, ce fut la litanie qu'elle avait apprise par cœur sur la faiblesse de sa maîtresse. La Reynie, lui, changea d'attitude par rapport à la semaine passée : il fut sans civilité, au point d'entrer de force et de pousser la servante qui s'obstinait à ne point bouger.

– Madame de Vigier... Allez me la chercher ou j'envoie mes archers la quérir !

Affolée, la grosse manqua de s'affaler dans l'escalier, mais il ne lui fut pas utile de solliciter sa graisse à le grimper, Madeleine de Vigier apparut sur le palier :

– Qu'est-ce donc, monsieur ? Oubliez-vous les usages et le respect que l'on doit à la veuve d'un magistrat du Parlement ?

La Reynie apprécia à demi l'abus qu'elle faisait de la force des robins. Il en avait son content, il voulait régler ses comptes :

– Madame, je tiens à vous rappeler que j'agis sur ordre du roi, dont les magistrats ne sont que les fidèles et dévoués sujets, leurs épouses tout autant.

Madeleine déglutit de rage :

– Toutefois, je vous prie de faire la part des choses entre la populace et les gens de condition. Vous vous adressez à madame « de » Vigier.

– Tout sujet de Sa Majesté, au comportement respectable, a droit à nos égards, qu'il soit laquais, gentilhomme, ou nouvel anobli par la savonnette à vilain.

La formule populaire employée par La Reynie la fit blêmir. L'argent lavait de la roture et, comme tant d'autres, François Vigier avait acheté sa particule. Elle domina son orgueil, voyant que le lieutenant de police se disposait à le prendre de haut :

– Et en quoi mes agissements me vaudraient-ils de perdre votre considération, monsieur ?

– Vos mensonges en sont la cause, madame.

– Vous m'offensez !

– Certes pas ! Vous m'aviez dissimulé avoir été attaquée par deux truands qui sont les véritables meurtriers de votre mari. Pourquoi ?

– Mais d'où tenez-vous ce roman ?

– Du fait que nous les avons arrêtés, madame, les voici !

Sur son ordre, Desgrez fit avancer Dieudonné et Holbröe, pieds et chevilles enchaînés. Madeleine, pour le coup, de blême passa au blafard, la peau de son visage rivalisa avec le blanc de la neige. La Reynie savoura l'instant avant de reprendre :

– Ces sans-aveu étaient recherchés depuis des mois, ils ont des dizaines de victimes sur la conscience. Nous les avons morgués comme il se devait et ils ont tout avoué, y compris le meurtre de monsieur de Vigier.

Madeleine fit un réel effort pour ne pas s'évanouir. L'histoire prenait un tour inattendu :

– Je vous jure, monsieur, que je n'ai jamais vu ces gens-là ! Il se peut que Dupuy, après tout, ne soit pas l'assassin et que ces deux individus aient commis l'odieux forfait qui m'a rendu veuve… Mais je vous assure que j'ignorais tout, jusqu'à maintenant, de leur existence !… Ah ! je ne suis qu'une faible femme, je souhaite qu'on aille mander monsieur de Lagny pour qu'il m'assiste dans cette épreuve.

D'un moulinet de la main, La Reynie balaya sa demande :

– Inutile, madame, je vous crois.

Cette soudaine marque de confiance la réconforta, elle reprit de l'assurance :

– Sinon, je vous assure que je vous en aurais parlé.

– Soit ! Réglons rondement cette affaire et rouons ces deux-là au plus vite. J'ai à traiter des centaines de dossiers, l'organisation de la police n'attend pas.

– Il est vrai que l'on vous dit fort occupé.

– C'est exact. Aussi, je vous prierai, madame, de nous conduire sans attendre dans le cabinet où votre mari a été tué.

– Pourquoi cela ?

– Pour fermer ce dossier et repartir aussitôt. La loi m'oblige à montrer le lieu du crime aux prévenus, ils doivent le reconnaître, comme les faits reprochés.

– Et s'ils refusent ?

– On les roue quand même.

Dans ces dispositions d'esprit, la maîtresse de maison les précéda comme le demandait le lieutenant de police. La Reynie organisa la reconstitution d'une manière qui n'alerta pas Madeleine, bien qu'elle fût inhabituelle :

– Desgrez, restez dehors et fermez la porte, j'entre avec madame et ces deux meurtriers, nous n'en avons que pour peu.

Elle ne retenait, depuis le début, que la volonté du policier d'expédier la procédure, ce qui ne l'empêcha pas de minauder :

– Me trouver face à ces barbares, monsieur, si vous saviez…

– Courage, madame, je serai prompt.

– Et qu'ont-ils dit d'autre, outre leurs aveux ?

– Des horreurs que je vous tairai respectueusement. Ce genre d'hommes raconte toujours des atrocités pour que l'on accuse des innocents de crimes inventés par eux. Nous ne tenons jamais compte de leurs divagations.

Ce discours finit de rassurer Madeleine. Dieudonné et Holbröe avaient eu beau clamer la vérité, elle était si étrange qu'on refusait de les croire.

226

Ils se retrouvèrent tous les quatre dans le cabinet du magistrat. La Reynie commença :

– Bien ! Alors je vais vous dire comment les choses se sont passées. Mais avant, je vous préviens tous les deux que si vous persistez à maintenir une version différente de ce que je démontre, ce ne sera pas la roue, mais le plomb qui vous attendra. Choisissez entre une mort douce et un martyre lent et douloureux.

Madeleine apprécia ce début, elle se détendit davantage. Après tout, cet épilogue valait bien d'avoir subi quelques avanies au cours de sa prise de bec avec monsieur de La Reynie, le plus charmant des policiers du roi, qui continua à dérouler sa logique :

– Vous êtes entrés en cassant un carreau dans la cuisine, vous avez surpris monsieur de Vigier à sa table de travail, il a voulu crier et vous vous êtes précipités sur lui pour l'assommer. Le pauvre n'a pu appeler à l'aide, il s'est écroulé sous le coup. Vous avez ensuite volé quelques menus objets avant de repartir sans demander votre reste… Alors, la roue ou le plomb ?

– Roue, répondit Holbröe.

– De même, confirma Dieudonné.

Le visage de Madeleine ne put retenir un sourire. La Reynie se tourna vers elle, ravi.

– Voilà qui est conclu, la justice prendra la suite.

– Votre célérité m'émerveille, monsieur.

Il se frappa le front comme s'il avait oublié quelque chose :

– C'est vrai, j'y pense… Danglet, remettez à madame ce que vous avez volé à son mari, l'objet lui appartient.

Dieudonné, la tête baissée comme un repenti, sortit le gant de Holbröe de son pourpoint. La clé du magistrat se trouvait à l'intérieur. Le lieutenant de police l'interrogea :

– Le gant est à votre comparse ?

– Oui, monsieur.

– Qu'il le reprenne. Quant à vous, madame, cette clé vous revient.

Du plaisir à triompher, le visage de Madeleine refléta l'effroi. Elle regarda la clé avec terreur.

– Eh bien, quoi, madame, pourquoi ne la prenez-vous pas ?

Dieudonné la tendait sans bouger, Madeleine ne la quittait pas des yeux, elle recula même à son apparition. La Reynie, changeant de ton, lui saisit le poignet, la força à avancer la main :

– Mais prenez cette clé, vous dis-je ! Allez ! Ou avouez pourquoi vous en avez peur !

Elle se dégagea de son étreinte en hurlant :

– Mais arrêtez, vous me faites mal !

– Ce n'est rien à côté de ce qui vous attend si vous ne la prenez pas.

– Je ne vois pas de quoi vous voulez parler ! Pourquoi m'obliger ?

– Parce que c'est vous qui avez tué votre mari, madame, avec l'aide de Dupuy !

– Vous êtes fou ! J'exige la présence de monsieur de Lagny, j'en appellerai au roi ! Au Parlement, qui vous brisera !

– Il suffit, la comédie a assez duré ! Monsieur de Lagny a assisté à ce meurtre, lui et vos amis font tous partie du complot que nous avons découvert. Nous connaissons vos agissements, vos objectifs, le roi en est informé, cessez de mentir, cela vaudra mieux !

À l'effroi succéda la fureur, elle s'emporta dans une envolée de menaces semées d'injures qui laissèrent La Reynie de glace. Il s'avança vers Dieudonné et Holbröe qu'il libéra de leurs chaînes :

– Vous connaissez déjà monsieur Dieudonné Danglet, mais pas le nom de monsieur Gustav Holbröe, envoyé du roi de Suède. Danglet, montrez cette clé à madame et l'usage que l'on doit en faire.

Dieudonné la salua. Elle s'étouffa de colère :

– Vous ! vous... fit-elle sans trop savoir comment construire sa phrase.

– Moi, oui, qui vais vous raconter une histoire édifiante avant d'utiliser cette clé. Vous, bien que vous ayez fouillé les vêtements du procureur, vous ne l'avez pas découverte parce que le sang sur sa chemise vous répugnait... Vous ne l'avez pas ouverte... C'est donc l'histoire d'un homme de bien, celle de votre mari, chrétien authentique. Dieu a dû voir combien il a pesé les conséquences de votre subversion, Dieu a dû apprécier sa honte d'être mêlé à l'organisation d'une boucherie. Il s'était laissé entraîner dans cette aventure contre son gré, pour votre amour ; on l'a nommé à un poste qu'il ne désirait pas, il se sentait piégé, il voulait dénoncer le massacre qui se préparait, et cette démarche lui a coûté la vie.

– C'est une fable pour enfant !

– Non, madame, car s'il s'est retrouvé dans cette assemblée de dévots inconscients, c'est pour vous plaire, parce que vous l'y avez poussé... Vos quartiers de noblesse l'éblouissaient, lui qui avait acheté sa particule ; il vous obéissait en tout, subjugué...

– Vous me prêtez bien de l'influence.

– Oh, non ! L'inquisition vous sert de modèle, vous êtes une folle de Dieu, madame, qui a mal compris l'esprit de Port-Royal, une Janséniste démente, prête à tout pour faire triompher sa cause, à tuer comme à coucher avec le premier garçon venu que vous renversez délibérément avec votre carrosse pour mieux l'attirer chez vous. C'était le but de votre promenade à Saint-Denis ce lundi matin-là. Vous chassiez, en quelque sorte, j'étais votre proie.

– Et pourquoi, je vous prie ?

– Parce que la veille, aidée de cet excellent Dupuy, vous aviez occis votre mari ; mais il vous fallait un coupable, moi ou tout autre anonyme. Votre plan, ou celui de Pérols, était bien monté : Dupuy vous alertait de la présence d'un bandit, vous me demandiez de vous accompagner dans la pièce du drame, et là, il ne vous restait plus qu'à me tuer avant d'alerter vos serviteurs qui vous auraient servi de témoins.

– Pour quelle raison ?

– Cartésien : votre forfait aussitôt accompli, vous appeliez le guet pour l'avertir que votre mari avait été assassiné par un rôdeur et que le meurtrier, dans une soi-disant bagarre avec Dupuy, avait trouvé la mort à son tour. Tout le monde vous aurait crue et plainte énormément.

– Vous oubliez un détail : le mobile.

– Il nous est connu, madame, vos amis ont appris que monsieur de Vigier voulait prévenir les autorités, hanté par la perspective d'être complice d'une nouvelle Saint-Barthé-lemy. Ils l'ont su par un dénommé Jacques Papelard qu'ils ont durement questionné avant de l'égorger. Ce dernier s'était par trop affiché avec un envoyé des croix de paille, ce qui l'a perdu. C'est à ce moment qu'ils vous ont demandé d'éliminer votre époux dans une histoire savamment pré-parée par eux où, au dernier acte, je devais disparaître.

Le Suédois continua :

– Mais voilà, j'ai fait irruption dans la pièce qui se jouait et j'en ai modifié l'intrigue.

– Fabulation, vous cherchez à me perdre, je ne sais pour quel dessein !

Dieudonné ne l'écouta pas :

230

– Quant à Dupuy, les vôtres n'ont pas hésité à l'éliminer pour que les soupçons retombent sur lui. Je n'étais plus là pour faire un coupable idéal, vous l'avez désigné sans remords. Pour que l'on accrédite cette thèse, un comparse a glissé sur sa dépouille la bague et la bourse vide de monsieur de Vigier. Tout l'accuserait ; dans votre esprit, la police classerait vite l'affaire... Vous gagniez du temps.

– Avez-vous d'autres contes insensés à me servir ?

La Reynie prit le relais :

– Vous entretenez d'excellents rapports avec la marquise de Brinvilliers, il me semble. Vos dévotions communes ne sont pas très... catholiques, si je puis me permettre. Je sais que l'abbé Mariette partage votre souci de réformer la liturgie. D'après ce que j'en ai appris, il a troqué l'hostie contre des fioles pour le roi et des tisanes réservées à un orphelin.

La tête de Madeleine s'agita dans des dénégations frénétiques :

– Je n'entends rien à tout ce jargon !

Dieudonné voulut en finir en lui montrant la clé dans le gant :

– Voilà ce qu'il vous fallait rapporter à vos amis, mais aussi le réceptacle qu'ouvre cette clé. La présence de monsieur Holbröe vous a empêchée de vous en emparer et m'a sauvé la vie. Il suffisait pourtant de faire ce geste.

Et, le joignant à la parole, Dieudonné prit la clé d'une manière franche, à pleine main, devant une Madeleine de Vigier ébahie :

– Mais... mais... son mécanisme devrait vous tuer...

La Reynie rebondit sur ce début d'aveu :

– Vous voyez, madame, vous ne trichez plus. Comment saviez-vous que cette clé pouvait tuer ?

Abattue, ne comprenant plus rien, elle se referma. Dieudonné se fit un plaisir de poursuivre :

– Monsieur de Vigier était un homme prévoyant… et un fin lettré, sa bibliothèque le prouve. Il a exprimé sa prudence en inventant une seconde cachette, et la clé que je tiens est celle qui l'ouvre.

– Au fait, au fait ! trépigna La Reynie.

– J'y viens. Monsieur de Vigier a reçu un premier coffret qui contient toutes ses instructions secrètes, avec une clé dont l'anneau est pourvu d'un mécanisme prévu pour actionner des aiguilles empoisonnées si on ne le neutralise pas au préalable. Pratique courante de nos jours. Le non-initié qui s'aventure à ouvrir la serrure est sur-le-champ dardé de piqûres de cyanure, il en meurt aussitôt. C'est donc de cette protection mortelle que jouissent les documents que nous cherchons.

La Reynie tapa du pied :

– Votre démonstration est claire, Danglet, mais dites-nous où se trouvent ces satanés papiers !

– Ici, monsieur, dans cette bibliothèque.

Madeleine le regarda comme s'il était un Lunien tombé de l'astre. Elle avait dû beaucoup les chercher et ne comprenait pas comment Dieudonné pouvait aussi aisément en avoir découvert la cachette.

– Je vous rappelle, en ouverture à ce qui va suivre, que feu votre mari, madame, était un dévot. Par conséquent, en toute logique, il ne pouvait apprécier les auteurs aux opinions contraires aux siennes. Au nombre de ceux-ci, quelqu'un qui m'est cher : René Descartes ! Or, qu'ai-je pu remarquer sur ces planches quand je suis venu inspecter les lieux ?

– Comment, inspecter ? s'exclama Madeleine.

– Déguisé en archer, avec monsieur de La Reynie.

– Peu importe, s'énerva ce dernier, poursuivez.

– Oui. Qu'ai-je vu, alors ? Un énorme exemplaire de l'œuvre de mon maître à penser, le philosophe honni, détesté des dévots. Étonnant... Que faisait ce livre, que voici, là-haut ?

Le bras de Dieudonné s'avança. Il tira le livre :

– Et qui plus est dans une édition inconnue, je peux l'affirmer, je les connais toutes. (Il leur présenta l'ouvrage côté feuillets :) Voyez vous-mêmes : c'est un faux, une simple couverture sans aucune page imprimée... mais que ferme une serrure.

Il y enfonça la clé ; le livre s'ouvrit, au grand étonnement de La Reynie :

– Par les moustaches de saint Joseph ! Et ce que nous voyons à l'intérieur...

– Est la fameuse clé que nous cherchons, anticipa Holbröe. Attention, Dieudonné, celle-ci est empoisonnée.

– Je le sais et c'est pourquoi votre gant s'impose pour la prendre.

Il l'enveloppa avec précaution et sentit en faisant pression sur elle que des petits picots en avaient jailli.

– Cette fois, le serpent a craché son venin.

Madeleine regardait la scène avec des yeux de démente.

– Parfait, Danglet, le félicita le lieutenant, mais elle ouvre quoi, cette deuxième clé ?

– Puisque c'est bien celle-là qu'on a remise à monsieur de Vigier chez monsieur de Lagny, elle ouvre obligatoirement le réceptacle qui contient les documents tant convoités, que monsieur de Vigier s'apprêtait à donner à Gustav.

– Et vous savez où il se trouve ? s'inquiéta le chef de la police.

– Oui. N'oubliez pas que la lune suit le soleil, que Dieu combat Satan, que tout a son contraire. En toute équité, nous opposerons Descartes à Pascal. C'est donc dans les *Lettres à un Provincial* que nous devrions trouver ce que nous cherchons.

233

Il examina la collection complète du savant-philosophe, hésita un instant et prit enfin un ouvrage signé de son nom :

– Regardez cet exemplaire unique. Bien que les Oratoriens l'apprécient, je n'ai jamais partagé ses vues. M'avoir obligé à l'étudier m'a au moins formé à la connaissance de ses libraires [1] ; celui-ci est parfaitement fantaisiste.

Il examina le livre et, après en avoir longuement caressé la tranche, il la fit glisser. Il la retourna pour faire apparaître un dossier en cuir, fermé, lui aussi, par une serrure qu'il ouvrit avec la seconde clé.

Holbröe l'applaudit, La Reynie lui pressa le bras de contentement.

– Voilà, « cartésien », comme je dis souvent. Maintenant, nous allons savoir qui sont le forestier, l'orphelin et le tapissier.

Un cri étouffé les fit sursauter. Madeleine tournait de l'œil :

– Comment connaissez-vous ces trois noms ?

– Par Pérols, madame, il est mort dans mes bras la nuit dernière.

Elle s'effondra sur une chaise à cette nouvelle :

– Tout est donc perdu, nous nous sommes battus en vain. La gloire de Dieu… de la France… de la foi… Plus rien ne me retient ici-bas.

Et avant qu'ils puissent intervenir, madame de Vigier ouvrit le rubis de sa bague pour le porter à ses lèvres. Tous comprirent qu'elle venait de s'empoisonner. Ils se jetèrent sur elle, lui plièrent le bras, tentèrent désespérément de lui faire cracher le poison, mais celui-ci avait des effets foudroyants. La fin arriva vite, Madeleine bava une espèce de liquide verdâtre, ses yeux se révulsèrent, ses membres se

1. Éditeurs.

raidirent, elle hoqueta une dernière fois, sa tête tomba d'un coup.

– Madame ! Madame ! ne cessa de crier La Reynie.

– Elle est morte, monsieur, constata Holbröe, il n'y a plus rien à faire.

Une vie venait encore de s'éteindre. Cette affaire en avait déjà trop pris, ils redoutaient tous les trois qu'elle en exigeât davantage pour servir une folie que d'aucuns osaient nommer l'honneur du royaume et l'amour de Dieu. Avec la disparition de madame de Vigier s'envolait leur espoir de juguler rapidement le complot, Madeleine ne leur apprendrait plus rien. Ses idées l'avaient conduite à la démence, et sa démence au sacrifice. On ne pouvait l'excuser, mais elle méritait le respect pour être allée au bout de ses convictions ; ils ôtèrent leurs chapeaux dans un ultime hommage.

Dieudonné s'enferma dans un long silence, plus que les autres. Il se souvenait d'instants passés avec Madeleine dont il ne pouvait partager le souvenir avec quiconque.

Mais sa mémoire lui rappela que les caresses qu'elle lui avait prodiguées n'étaient qu'un jeu pour le perdre. Elle lui chuchota également qu'il devait maintenant compter sur sa bonne étoile : tous les plans qu'il avait échafaudés pour confondre Madeleine et la contraindre à collaborer s'étaient écroulés avec la mort de celle-ci.

Peu à peu, son regard fut à nouveau attiré par le dossier en cuir. Il l'ouvrit avec précaution, retira les documents qu'il enfermait, en priant pour qu'ils ne soient pas chiffrés. Il se dépêcha de les parcourir…

– Monsieur ! À ce que je lis, nous pouvions chercher longtemps. La signature me laisse sans voix. Quant au reste…

– Mais encore, Danglet ?

– Ces pages sont écrites en français, monsieur, tenez, regardez ! Il faut nous hâter... C'est aujourd'hui, mardi, à cinq heures précises, que nos ennemis ont décidé de frapper leur premier coup !

– Où cela ? Le nom du fort ?

– La question n'est pas de savoir où, quoi, mais qui !... Notre citadelle a de bien curieuses pierres !...

Dieudonné courut à la Tanière alerter son monde.

La Reynie s'empressa chez monsieur Boileau, ami de longue date et en principe confrère – sa fortune lui permettait de négliger sa charge de magistrat pour se consacrer à l'écriture –, pour lui demander un renseignement urgent.

Ainsi fait, les deux hommes se retrouvèrent comme convenu sur le pont aux Changes.

La Reynie parla le premier :

– Monsieur Boileau m'a informé qu'on trouverait notre homme près de l'Hôtel de Ville. Comme tous les artistes, il a ses habitudes dans une taverne proche d'ici, il y passe ses journées.

– Aux Bons Enfants ?

– Non, là vous verrez Molière. À la Croix de Lorraine est celle qui nous intéresse.

– Je vois où elle se situe, à côté de la place de Grève.

– Alors, allez-y vite en avant-garde, Danglet, je couvre vos arrières avec mes archers ; leurs uniformes sont trop voyants, les comploteurs ne doivent pas se méfier de notre piège.

– Comptez sur les gueux de Charonne, ils seront au rendez-vous.

Le lieutenant de police se hâta vers le Châtelet tandis que Dieudonné remonta vers Saint-Merri où Charonne et d'autres gueux l'attendaient. Il leur résuma la situation avant d'emmener Charonne avec lui jusqu'à la Croix de Lorraine :

– Bientôt cinq heures, ils vont agir, dépêchons-nous.

– T'inquiète, Dieudonné, mes gens sont de parole, ils arriveront avant cette bande d'assassins.

La taverne grouillait d'un monde venu pour s'amuser. On y buvait et chantait fort, toutes les tables étaient occupées par une multitude d'assoiffés entassés les uns sur les autres. Toutes sauf une, placée en retrait, où un homme écrivait, pensif. Les clients le laissaient tranquille dans son coin, ne se mêlaient pas de l'importuner, dans une sorte de respect implicite.

Dieudonné le reconnut. Il vint à lui :

– Pardonnez-moi, monsieur, de vous déranger, mais mon audace n'a d'égale que mon admiration pour vous.

– Voilà qui est flatteur, jeune homme, je vous écoute, bien que *tout flatteur vive aux dépens de celui qui l'écoute.*

– Vous êtes bien Jean de La Fontaine, l'écrivain renommé ?

– Renommé, je ne sais, rejeté me paraît plus approprié.

– Monsieur, permettez à mon ami et à moi-même de vous offrir à boire en signe de reconnaissance pour les instants délicieux que vos écrits nous ont fait passer.

La Fontaine pencha la tête pour mieux les observer. Son visage était unique, on ne pouvait lui trouver de sosie, toute la douceur humaine y avait pris place. Ses paupières lourdes pesaient sur des yeux où éclatait en permanence un feu d'artifice malicieux, sa large bouche gardait jalousement un sourire qui pointait sans jamais vraiment se montrer. Son phrasé appuyait son éternelle fantaisie :

– Soit, asseyez-vous, la compagnie des humains me distraira un peu de celle de mes bêtes.

– De vos bêtes ?

La Fontaine mit un doigt sur ses lèvres :

– Chut ! j'écris des fables : *Voyez ces animaux, faites comparaison de leurs beautés avec les vôtres. Êtes-vous satisfait ?*

Et il montra la foule autour d'eux.

Dieudonné observa l'assemblée des buveurs :

– Pardonnez mon ignorance, mais je ne vous comprends pas.

Un petit rire salua l'aveu. L'écrivain rassembla ses feuillets éparpillés sur la table :

– C'est à moi de vous présenter des excuses, monsieur mon admirateur, vous ne pouvez deviner que ce que j'écris met en scène des animaux, rien que des animaux, des souris, des chats, des cigognes, des renards… Ils y fréquentent parfois la compagnie des hommes, mais je les utilise le moins possible, ils sont plus laids que mes corbeaux.

– Ah ? ne trouva qu'à répondre Dieudonné. Et ces fables seront bientôt publiées ?

Charonne regarda sa montre.

– Laissez-moi d'abord les terminer en compagnie de mon ami Ésope à qui j'emprunte mes idées, mais en épuiserai-je le fonds ? Vaste sujet. Et Thierry, mon libraire, ne manifeste guère d'enthousiasme à les imprimer, l'affaire traîne.

Dieudonné héla le tavernier pour commander du vin de Grenelle.

– Alors, qu'avez-vous lu de moi, qui vous a tant ravi ?

Une fois encore, Charonne consulta le cadran de sa Martinet. Dieudonné versa le vin :

– J'ai adoré vos *Contes et nouvelles*, je viens de refermer la suite de *La Cité de Dieu* que je me plairai à relire.

– Ma dernière œuvre, mais je n'ai fait que servir en vers les citations de saint Augustin, sans plus.

– Mais si brillamment, monsieur, votre esprit s'y retrouve pareillement qu'en vos *Nouvelles en vers tirées de Boccace et de l'Arioste.*

De moins en moins discret, Charonne vérifia l'heure.

– Curieux, dit La Fontaine, vous omettez mon *Élégie*.

Dieudonné se demanda comment éluder la réponse. On avait reproché au grand homme sa production libertine, on ne lui avait pas pardonné son amitié pour Fouquet à qui il avait en quelque sorte dédié cette *Élégie aux nymphes de Vaux*. Il eut le réflexe du puriste :

– J'ai évité sa lecture, monsieur, parce qu'on la prétendait ne pas être de vous. Pourquoi ne l'avoir pas signée ?

Charonne persista à vérifier le comptage des minutes.

– Qu'importe… Le roi ne s'y est pas trompé, lui ; il m'en veut d'avoir eu pour son surintendant une sympathie littéraire. Cela me vaut de traverser une période plus noire que l'âme de Mazarin. Ce n'est pas une confidence, mes ennuis sont de notoriété publique : le nombre des huissiers à me poursuivre est tel qu'est déclaré original celui qui n'a pas à m'assigner pour quelque motif financier ; bien qu'en bonne amitié avec elle, je vis séparé de ma femme ; ma charge de maître des eaux et forêts de la duché de Chaûry me permet à peine de rembourser les dettes que mon père m'a laissées ; Colbert m'accuse de malversations, et je loge où je peux chez qui accepte de m'accueillir, ce qui fait que je ne refuse aucune invitation à boire. (Le manège de Charonne l'agaça :) Auriez-vous rendez-vous, monsieur, ou vérifiez-vous son mécanisme déficient ?

– J'attends qu'il soit cinq heures.

– Voilà un projet bien surprenant, j'en connaissais des curieux, mais le vôtre les bat tous.

– Et il est cinq heures ! hurla le gueux.

Il eut à peine fini sa phrase que des coups de feu retentirent au-dehors. Fleur entra comme un boulet dans la taverne :

– Attention, Dieudonné, les voilà !

Un énorme bonhomme surgit derrière elle, la poussa violemment, pointa le canon d'un pistolet vers les trois hommes. D'un même mouvement, Dieudonné et Charonne empoignèrent La Fontaine qu'ils jetèrent sur le sol. La balle passa près de leurs têtes. Charonne se releva d'un bond et, dégainant à son tour, visa, tira, atteignant son adversaire en plein front. La Fontaine, toujours calme, plaisanta :

– J'admets que mon style puisse irriter, mais il y a des limites à la critique.

Les clients de la taverne se terraient sous les tables ou les tabourets, d'autres avaient bondi derrière le comptoir, de partout on hurlait des invectives ou des appels au secours.

– Reste avec lui, ordonna Dieudonné à Charonne, j'y vais.

Il courut au-dehors ; avant de sortir, un coup d'œil au cadavre de l'agresseur tué par Charonne lui fit découvrir une croix de paille à son chapeau.

– J'avais raison, murmura-t-il, ils l'ont fait.

Dans la rue, une bataille sanglante opposait les gueux à des inconnus qui se distinguaient par la même croix sur leurs couvre-chefs.

Les sujets du Grand Coësre arrivaient de partout, toujours plus nombreux, poignards, bâtons ferrés ou rapières à la main. On se fusillait à bout portant, on s'étranglait, on s'étripait, on se fracassait le crâne. Dieudonné se trouva face à une vieille connaissance : Nicolas, le cocher. Ce dernier tourna son mousquet vers lui mais, alors qu'il allait appuyer sur la détente, un poignard le frappa en plein cœur.

– Heureusement que j'étais là, le sermonna Fleur. Allez, prends une arme, ou ils vont te tuer.

Il remit ses remerciements à plus tard, jugeant plus urgent de faire un croc-en-jambe à un colosse qui se précipitait sur elle, un sabre turc haut levé prêt à la couper en deux. Il acheva la besogne en lui brisant la mâchoire d'un furieux coup de pied :

– Nous voilà à égalité.

Il ramassa le sabre pour se lancer dans la mêlée. L'affrontement ne dura que peu, les partisans du complot furent submergés par une gueuserie déchaînée qui s'acharna sur les dévots avec une haine contenue trop longtemps. Ils leur firent payer la misère qu'ils devaient à leurs pareils, ils se vengèrent des tortures, des pillages, des viols que leurs congénères avaient fait subir à leurs familles. La bataille allait passer la main au carnage sans que Dieudonné puisse l'arrêter, quand, enfin, La Reynie arriva avec sa troupe. Desgrez plaça ses archers en demi-cercle, des dizaines de fusils les mirent tous en joue.

– Au nom du roi, arrêtez le combat ! ordonna le lieutenant de police.

Les combattants échangèrent encore quelques coups, on acheva de s'embrocher pendant qu'il était encore loisible de le faire, mais à la seconde injonction de La Reynie, tout le monde baissa les armes.

– Bien !... Restez tous où vous êtes, le premier qui bouge est un homme mort ! Vous, là, dit-il à Dieudonné, rassemblez vos hommes encore valides et vos blessés, et partez. Nous nous occuperons des autres.

Fleur, Charonne, Cyclope, la Grenouille, Atlas et Dieudonné réunirent les survivants qui emmenèrent leurs amis touchés dans la bataille. Charonne, avant de partir, s'adressa à La Reynie :

– Monsieur le lieutenant de police, j'ai été soldat, c'est en tant que tel que je vous adresse une supplique.

– Je vous écoute.

– Faites enlever les croix de paille des chapeaux de cette piétaille : ils déshonorent leur symbole en l'usurpant dans le sang.

– Accordé.

Et sur un signe du chef de la police, les archers enlevè-rent *manu militari* le crucifix en question du feutre des dévots.

Satisfait, Charonne salua La Reynie avec reconnaissance. Atlas le tira par la manche :

– N'en fais pas trop, quand même, oublie pas que c'est un policier.

– C'est l'honnête homme que je salue, nabot.

Un tantet ahuri – mais il passait sa vie dans les nuages –, La Fontaine sortit de la taverne. Il contempla les corps allongés et les archers en position de tir. Il interpella Dieudonné :

– Je vous jure, monsieur, que c'est la première fois qu'on se bat de la sorte pour me payer à boire. À quoi rime ce pugilat ?

– Pour reprendre votre thème des animaux, à une guerre entre loups et agneaux. Mais, pour une fois, ce sont ces der-niers qui ont gagné.

La Fontaine l'observa, ravi :

– Le loup et l'agneau !… Joli… Je la resservirai, mais sans doute avec une chute différente.

Le carrosse de La Reynie s'immobilisa dans la rue boueuse.

La pluie tombait dru depuis la veille.

Il regarda le bâtiment avec un curieux sentiment. Il com-prit qu'il retardait le moment de pénétrer dans l'hôtel parti-culier du haut personnage qu'il allait confondre, il jouissait de l'instant présent, il savourait la suite en imaginant la confrontation. Ses yeux badaudaient dans le vide, sa bouche coinçait un sourire permanent. Dieudonné, assis face à lui, s'inquiéta :

– Vous sentez-vous bien, monsieur ?

– En parfaite santé, Danglet. Pour ne rien vous cacher, j'attends que ma jubilation s'épuise. Ce que j'ai à accomplir demande du tact et du sang-froid où les sentiments personnels n'ont pas leur place.

– Je le comprends.

– Vous comprenez tout, Danglet.

Un rictus déforma les lèvres de Dieudonné :

– Pas toujours, monsieur. La preuve en est avec ce fort que nous cherchions tous à localiser.

– Personne ne pouvait deviner qu'il s'agissait d'êtres humains et non d'un bâtiment militaire. Si vous n'aviez percé le mystère des clés, l'irréparable aurait été accompli. Fort : « F. OR. T ».

– « F » comme forestier, « OR » comme orphelin, « T » comme tapissier. J'aurais pu le deviner avant de lire les documents de monsieur de Vigier.

– Qu'importe, Danglet, le pire a été évité.

Ils soupirèrent ensemble. La Reynie n'en finissait pas de s'émouvoir :

– Ah, ces dévots ! Quels esprits machiavéliques ! Toucher le royaume non dans sa force armée, mais dans l'élite de ses artistes, il faut être fou pour y penser.

Pourtant, lui-même tutoyait la tendance dévote, avec, il est vrai, beaucoup de recul et d'humanisme… Ce que savait Dieudonné :

– L'effet de ces trois meurtres eût été plus redoutable dans l'esprit de la population que la perte d'une citadelle. Quant au roi, je n'ose imaginer sa réaction. Sa politique de grandeur en eût été affectée et, ici, ces déments savaient qu'ils visaient juste pour l'atteindre.

– Mais pourquoi avoir choisi ces trois-là, et pas d'autres ?

Dieudonné évita de dire « cartésien » :

243

– La Fontaine, forestier parce que maître des eaux et forêts, est à leurs yeux coupable de libertinage. Ses écrits osés, le dissolu de sa vie ont choqué leur sensibilité.

– Et Racine ?

– Orphelin à l'âge de huit ans, il a été élevé dans l'esprit de Port-Royal. Comme vous le savez, monsieur, Racine a brusquement tourné le dos au jansénisme. Qui plus est, sa liaison avec Marquise Du parc provoque un énorme scandale, pire : une atteinte aux bonnes mœurs prônées dans la religion de ces gens-là. Ses ennemis ne lui pardonnent pas sa « trahison », ils n'auront de cesse que de l'abattre.

– J'entends bien, poursuivit La Reynie… Quant au tapissier, c'est plus aisé à trouver. Ce fut le premier métier de monsieur Poquelin, dit Molière, dont le *Tartuffe* est une insulte à leur croyance. Vous n'ignorez pas que la guerre fait rage autour de sa pièce pour l'interdire, les culs-bénits exigent qu'on l'emprisonne, tous les moyens sont bons pour le détruire, même la calomnie et les cabales : il joue aujourd'hui devant des salles vides.

– Il est l'ami du roi, il l'aidera.

– Détrompez-vous, pour Sa Majesté, la paix entre ses sujets passe avant son amour du théâtre et sa répugnance pour les dévots. (La Reynie conclut :) Et faire endosser leurs meurtres par les protestants eût été un chef-d'œuvre de cynisme. La haine des Réformés grandit de jour en jour, Paris se serait soulevé, comme au temps de la Fronde, contre les parpaillots. Leur coup était bien préparé, les agitateurs savaient comment et où procéder pour chauffer les rues, les libelles étaient déjà imprimés. Nous les avons tous mis sous les verrous et avons saisi leurs papiers. Plus un ne nuira.

– À la veille d'une guerre contre l'Espagne et dans les Flandres, ils avaient une chance de réussir, mais pour quel profit ?

– Le pouvoir, Dieudonné, encore et toujours le pouvoir !
Je crois que le peuple aurait probablement soutenu le parti
des dévots dans une nouvelle Saint-Barthélemy. Maintenant, savoir si le roi aurait fait appel à leurs bons offices est
une autre histoire. (Le lieutenant de police abrégea la
conversation :) Il nous reste à dissiper le brouillard qui
entoure leur opération « Phébus ». Cet abbé Mariette nous
est inconnu, mais nous le trouverons un jour. Quant à la
marquise de Brinvilliers, continuons à la surveiller, elle
nous mènera à lui.

– De même, je l'espère, que nous identifierons la servante anonyme et cette dame Voisin dont j'ai entendu le
nom – quoique cette dernière ne nuise que par l'astrologie,
à ce que j'ai compris. Quant à monsieur de Lagny...

– Laissez-le pour l'instant, le coupa le lieutenant de
police, je l'ai convaincu de vendre sa charge bien en dessous de ce qu'elle vaut et de se retirer pour toujours à
Brouillet. Là, il ne parlera pas.

Dieudonné fulmina :

– La belle punition ! Cet assassin mérite le gibet ! Il a
participé au meurtre de François de Vigier, c'est sa nicotiane que j'ai trouvée sur le sol.

– Patience, Danglet, pas de bruit pour l'instant, tous ces
gens paieront leurs méfaits, et celui que je vais voir de ce
pas va régler le prix fort.

La Reynie descendit du carrosse. Il courut sous l'averse
jusqu'à la grande porte de l'hôtel où il se fit annoncer...

Une heure s'écoula.

Deux heures sans nouvelles.

Dieudonné s'inquiéta. Il fut sur le point de désobéir à la
consigne quand il vit le lieutenant de police revenir. Celui-
ci monta, se cala sur la banquette en s'ébrouant avec un
petit sourire satisfait.

– Alors ? questionna Dieudonné.

– Monsieur de Chevreuse souffre de plusieurs défauts. Devinez lesquels, Danglet ?

– Assurément, pour commencer, d'une fâcheuse perte de mémoire.

– Bien… Mais il pétune aussi plus que son content. Sa voix s'enroue dès qu'un problème ou une question embarrassante le chagrinent. Le roi a raison de détester le tabac, il ne convient pas aux hommes de décision, priser **trop** les rend vulnérables.

– Et pour le reste, monsieur ?

La Reynie se délecta d'un silence avant de dévoiler le complément :

– Je dois beaucoup à Colbert, Danglet, comme tous les Français qui ne sont pas toujours capables d'apprécier ses efforts pour eux. Mais moi, je lui dois un peu plus : il n'est pas seulement mon supérieur, il est aussi mon protecteur. Je ne me vois donc pas lui rapporter que son gendre, tout frais marié à sa fille, est le chef d'un complot sordide qui a coûté la vie à tant de pauvres gens. Il en souffrirait, il en perdrait sa place. Imaginez le pays sans lui…

– Je ne l'ose.

La main de La Reynie frappa à la cloison pour ordonner au cocher de démarrer. Il referma le dossier par ce propos :

– Mais soyez certain que moi vivant, monsieur de Luynes, duc de Chevreuse, ne sera jamais ministre. Il n'a plus les moyens de ses ambitions…

Un peu plus tard, au Grand Châtelet, on confia les corps de quatre noyés aux filles hospitalières de Sainte-Catherine.

Ils avaient longtemps séjourné dans l'eau, leur peau bleue et gonflée les rendait méconnaissables.

Le cas pouvait passer pour ordinaire, la Seine charriait son content de cadavres chaque jour que Dieu faisait ; mais, après les avoir examinés, Desgrez avait fait retarder leur inhumation ; leurs crânes défoncés prouvaient que la noyade n'était pas la cause de leur mort, on les avait tués avant de les jeter dans le fleuve.

Monsieur de La Reynie, prévenu par l'exempt, vint les voir :

– Enterrez-les dignement, lui ordonna-t-il après une courte réflexion.

Et il regagna son cabinet de travail en se disant qu'il avait agi comme il convenait : à quoi servirait d'identifier les dépouilles des serviteurs de madame de Vigier ?

À rien.

Si : à remuer la boue.

X

En forme d'épilogue

La France avait fort poliment déclaré la guerre à l'Espagne… L'Espagne avait enregistré ses intentions contre elle avec distinction…

Les règles préalables du genre ayant été respectées, les adversaires en lice avaient pu commencer à se massacrer suivant les usages, à savoir avec un esprit de repartie que d'aucuns cultivent dans l'horreur. La phrase historique est une spécialité militaire.

Bref, depuis le mois de mai, on se battait dans les Flandres où on s'apprêtait à entrer dans la bataille.

Monsieur de Turenne avait remporté de nombreuses petites victoires pour aguerrir ses troupes peu formées au feu. Puis le maréchal d'Aumont s'était emparé de Bergues et de Furnes avant de rejoindre le roi devant les remparts de Tournai, conquise à son tour les 25 et 26 juin. Puis Courtrai était tombée.

Sa Majesté, fière de ses succès rapides, décida de prendre un repos mérité à Compiègne, où la Cour la rejoignit, toutes dentelles dehors.

Pendant les deux mois qui précédèrent la villégiature du monarque, monsieur de La Reynie avait fort tracassé Molière qui, ne comprenant pas son acharnement, fut sur le point de renoncer au théâtre. Monsieur de Lamoignon contribua beaucoup à son état d'esprit. Mais, se dit le lieutenant de police, il valait mieux que l'affaire des croix de paille s'achevât tout à fait pour la sécurité de l'illustre théâtreux. Il entretenait la certitude que Molière, après quelques mois sans jouer, exprimerait sa vengeance dans quelque pièce d'un génie jamais atteint, dans laquelle il égratignerait son époque plus qu'à son habitude.

La Reynie aimait Molière. Eh oui ! Lui-même écrivait des pièces en catimini.

Racine, lui, ne comprit pas la protection dont on l'entoura. Il se jugea harcelé. Hautain, odieux, vindicatif, il bouda dans son coin en achevant d'écrire *Andromaque*.

Quant à Dieudonné, il fut discrètement chargé de surveiller le départ de servantes espagnoles proches de la reine. On se méfiait d'elles, l'air de Madrid leur fut recommandé. Il suivait d'ailleurs la piste d'un individu trouble de leur équipage quand La Reynie, contre toute attente et enfreignant leurs règles, le convia à Compiègne où Louis venait d'arriver.

Autant intrigué qu'intimidé, il se rendit donc à son invitation.

Juillet jouissait de la chaleur d'un soleil magnifique, la victoire souriait aux Français, les plaisirs et la bonne humeur illuminaient donc le programme de l'entourage du monarque. La Cour retentissait des rires d'une jeunesse triomphante.

Dieudonné admira les vêtements brodés avec talent et les bijoux de prix que portaient les courtisans. Bien que de bonne coupe, ses habits risquaient de détonner ; il s'en inquiéta auprès de La Reynie :

– Ne craignez-vous pas que l'on me remarque à vos côtés ?

– Danglet, apprenez qu'à la Cour, personne ne remarque personne ; c'est à ces gens de se faire remarquer, mais seulement par le roi.

– Pourquoi m'avez-vous entraîné à Compiègne ?

Le lieutenant de police sourit :

– Ne croyez pas que ce soit une récompense, vous êtes en service.

– Tiens donc ?

– Le roi a été pris d'un malaise qui a beaucoup inquiété ses proches. Il va mieux maintenant, fort bien soigné par une personne à qui il porte quelque intérêt. La voici d'ailleurs qui s'avance.

Une jeune femme, au port altier, aux formes avantageuses, passa près d'eux. Elle rayonnait de bonheur. La Reynie la salua ; elle lui répondit avec beaucoup de grâce.

– Qui est-ce ? l'interrogea Dieudonné, séduit par sa beauté.

– Athénaïs de Mortemart, marquise de Montespan, la nouvelle maîtresse de Sa Majesté depuis deux jours. Gageons qu'elle le restera longtemps ; pauvre mademoiselle de La Vallière.

Dieudonné la regarda partir vers les jeux et les hommages.

– Était-ce pour me la présenter que vous m'avez conduit ici ?

– Entre autres, Danglet… Vous souvenez-vous de l'opération « Phébus » et de cette servante dont le visage me rappelait vaguement quelqu'un ?

– Oui, fort bien.

– Eh bien, observez bien la demoiselle, là-bas, devant vous.

Dieudonné aperçut une jeune femme charmante autant qu'exubérante :

– Je ne la connais pas, monsieur.

– Ça, je m'en doute, celle que vous me désignez s'appelle mademoiselle des Œillets, dame de compagnie et confidente de la marquise. Voyez plutôt celle qui la suit.

250

Le soleil empêcha Dieudonné de bien la distinguer, il plissa les yeux :

– C'est elle, j'en suis sûr, la servante de Saint-Denis !

– Je m'en doutais, mais je désirais que vous me le confirmiez, il faut se méfier des portraits, quoique ceux que vous brossez soient excellents.

– Vous la connaissez donc ?

– Oui, Danglet, cette femme se nomme Catau.

– Comptez-vous l'arrêter, l'interroger tout au moins ? C'est une empoisonneuse, elle en a après le roi.

Le lieutenant soupira :

– Patience, Danglet, patience. On ne la touche pas pour l'instant.

– Mais pourquoi ?

– Elle est la chambrière de madame de Montespan...

*
* *

Aujourd'hui, plus de cinquante ans après l'affaire des croix de paille, les querelles se sont tues.

Certes, la révocation de l'édit de Nantes a mis un terme aux guerres de religion larvées, mais ses effets terribles nous poursuivent dans notre conscience.

Pour Dieudonné, à l'époque, elles faisaient rage. Il eut à combattre beaucoup d'autres fous qui se crurent inspirés par Dieu.

Les affaires – au pluriel – des poisons ne faisaient que commencer. Colbert lui-même, on l'oublie, fut accusé d'avoir eu recours au cyanure contre ses ennemis. Toutefois, l'Histoire a plus particulièrement retenu les méfaits de la marquise de Brinvilliers et ceux de la Voisin – ou Monvoisin – et de l'abbé Mariette qui ont voilé les autres.

On sait enfin ce qu'il en coûta à madame de Montespan.

Quant aux promesses de monsieur de La Reynie...

Malgré ses qualités, le duc de Chevreuse ne fut jamais ministre, ni même secrétaire d'État. Ce n'est qu'après la mort de La Reynie, en 1709, que le roi en fit un conseiller privé, sans titre ni charge ; qui plus est, le territoire de son pouvoir se limita à une antichambre où il rencontrait Sa Majesté pour lui formuler ses avis.

On a toujours prétendu que le lieutenant de police avait nettoyé Paris de sa cour des Miracles.

Faux ! Archi-faux ! Peu après l'affaire des croix de paille, il fit charger par trois fois le lieu par des centaines de soldats, de gendarmes et de sapeurs. La riposte fut farouche, les gueux se défendirent à coups de pierres, à coups de poing, à coups de dents, mais durent se rendre...

Les historiens s'interrogent encore sur le geste que La Reynie eut pour ces vaincus.

Alors qu'il les tenait, que pas un truand ne pouvait lui échapper, qu'il pouvait les envoyer en bloc aux galères ou en prison, il les laissa tous partir, libres.

Je dis bien : tous !

Cette incroyable grâce n'est toujours pas expliquée...

Post-scriptum

Madame, mademoiselle, monsieur,

Avec le langage proche de celui utilisé à l'époque des faits...
Dans le quasi-respect du vocabulaire du narrateur...
Les acteurs des *Croix de Paille* ont prêté leur concours à cette aventure, peu ou prou avec l'assentiment de l'histoire, sous leur identité réelle ou déguisée.
Par ordre d'apparition, les voici :

– Personnages actifs ou cités ayant existé :

À tout seigneur, tout honneur : Louis XIV...

Suivent :

Louis IX, dit Saint Louis, roi de France. – Mlle de La Vallière. – Marie-Thérèse, reine de France. – M. Colbert. – M. de Lamoignon. – M. de La Reynie. – M. Molière. – Le Grand Coësre (ou Coëfre, que l'on ne nommera pas autrement). – M. de Luynes, duc de Chevreuse. – M. le marquis de Louvois. – Le père Nicolas Malebranche, philosophe et Oratorien. – Les Oratoriens : le père Lecointe, le père Senault. – Le chancelier Pierre Séguier. – M. Simon Voult. – Mlle Jeanne-Marie-Thérèse Colbert, épouse Chevreuse. – MM. Macé et Desjardins. –

M. le maréchal de Villeroy. – M. Jean Quentin, perruquier. – MM. les conseillers Talon, Pussort, Bignon. – MM. Le Sueur et Le Brun, peintres. – M. Antoine Dreux d'Aubray. – Mme la marquise de Brinvilliers. – MM. Charpentier et de Croislin, de l'Académie française. – Charles XI de Suède. – Catherine de Médicis, Henri IV, M. Chastillon. – MM. Mansart et Hardouin-Mansart. – Christine de Suède. – MM. Turenne et Condé, maréchaux de France. – MM. Pierre et Thomas Corneille, poètes. – M. Jean de La Fontaine. – M. Bullet, architecte. – M. Le duc d'Épernon. – Mme de Flers. – MM. Perault et Le Vau, architectes. – M. Antoine Vallot, archiatre. – M. le Cavalier Bernin. – M. Le Nôtre. – M. Chapelain. – M. Jean Racine. – Mlle Armande Béjart, épouse Poquelin. – Mlle Marquise Du Parc. – M. Fouquet. – M. Le Tellier. – M. de Vauban. – François Ier et Louis XII, rois de France. – M. Jean Thévenot. – Ravaillac. – Le père Joseph, le cardinal de Richelieu. – M. Philippot, surnommé L'Illustre Savoyard. – M. Jacques Tardieu et Mme Marie Février. – M. Nicolas Boileau. – La Grande Mademoiselle. – M. Desgrez. – Mme de Sévigné. – M. d'Artagnan (Charles de Batz). – Monseigneur Pavillon. – M. Blaise Pascal. – MM. de Rouanès, de Sourches, de Crenan. – M. Gerardus Mercator. – MM. Hipparque et Nonius. – L'abbé Mariette, la Voisin. – M. Thierry, libraire. – M. le maréchal d'Aumon. – Mme la marquise de Montespan. – Mlle des Œillets. – Mlle Catau…

Et M. René Descartes, à l'omniprésence remarquée.

– Quant aux autres :

Il plaira au lecteur de mettre un visage sur certains noms…

Pour M. Dieudonné Danglet, comme vous l'a confié le père Grégoire, inutile de rechercher sa trace : *il n'existe pas* !… Ainsi l'a-t-on voulu…

Table des matières

CET OUVRAGE
A ÉTÉ ACHEVÉ D'IMPRIMER
SUR ROTO-PAGE
PAR L'IMPRIMERIE FLOCH
À MAYENNE EN MARS 2003

N° d'éd. 102. N° d'impr. 56761.
D.L. mars 2000
(Imprimé en France)